www.loqueleo.santillana.com

© 2018, MARÍA ROSA LOJO
© 2018, EDICIONES SANTILLANA S.A.
Av. Leandro N. Alem 720 (C1001AAP)
Ciudad Autónoma de Buenos Aires, Argentina

ISBN: 978-950-46-5662-3
Hecho el depósito que marca la ley 11.723
Impreso en Argentina. *Printed in Argentina.*

Primera edición: octubre de 2018
Tercera reimpresión: enero de 2022

Dirección editorial: MARÍA FERNANDA MAQUIEIRA
Edición: LUCÍA AGUIRRE - CLARA OEYEN
Diseño de cubierta: FLORENCIA GUTMAN

Fotografías de cubierta:
© Ministerio del Interior, Obras Públicas y Vivienda
Archivo General de la Nación
Departamento de Documentos Fotográficos
© GettyImages

Dirección de Arte: JOSÉ CRESPO Y ROSA MARÍN
Proyecto gráfico: MARISOL DEL BURGO, RUBÉN CHUMILLAS Y JULIA ORTEGA

Lojo, María Rosa
    Solo queda saltar / María Rosa Lojo. - 1a ed 3a reimp. -
Ciudad Autónoma de Buenos Aires : Santillana, 2022.
    152 p. ; 22 x 14 cm.

    ISBN 978-950-46-5662-3

    1. Narrativa Infantil y Juvenil Argentina. I. Título.
CDD 863.9282

ESTA TERCERA REIMPRESIÓN DE 1.000 EJEMPLARES SE TERMINÓ DE IMPRIMIR EN EL MES DE ENERO DE 2022 EN DP ARGENTINA S.A., PANAMERICANA KM.37,5 - CENTRO INDUSTRIAL GARÍN CALLE HAENDEL, LOTE 3 -BUENOS AIRES, REPÚBLICA ARGENTINA.

SOLO QUEDA SALTAR

MARÍA ROSA LOJO

loqueleo

A mis primas Isolina y Celia,
cuyos hermosos nombres tomé prestados.
A la Celia que imaginó la gran escritora Elena Fortún.

PARTE 1

Cuaderno de Celia
1948

Escapo cuesta arriba, por el camino empinado que lleva a *la finca de Meirelles. La noche sube conmigo, tapándome de sombra. Las espinas del tojo me azotan las pantorrillas. Desde que Meirelles se ha hecho tan viejo y casi todos los hijos están muertos o presos, nadie corta ya esos arbustos de flor dorada.*

Pero no me duelen las espinas, sino el miedo. Sigo corriendo, sin aire, mientras en la mitad del pecho se me clava otro arbusto de cristales rotos. Algo me empapa los muslos, resbala, cálido, hasta los tobillos. Solo cuando alcanzo las piedras del muro bajo que rodea la finca me atrevo a tocarme. Detrás de mí, todavía lejanos, se oyen los gritos de los hombres que me cazan. Levanto la mano húmeda, la miro a la luz turbia de la luna, la huelo, la pruebo con la punta de mi lengua seca de terror. Es sangre. Pero no la mía. Es la sangre de mi prima Eulalia.

Caigo en una oscuridad blanda, sin espinas ni piedras, mientras alguien me sacude. Cuando abro los ojos hay otra noche y otra luna que se filtra muy leve, a través de cortinas y de postigos. Isolina me está mirando. Me aparta el pelo con su mano chica. Me refresca la frente con un pañuelo embebido en colonia.

—Celia, Celita —me llama—. ¿Qué es, qué tienes, volvió la pesadilla?

Apenas puedo mover la cabeza. Isolina me pone un almohadón debajo de la nuca. Me da de beber. Con el agua trago las lágrimas, el pánico. Y la vergüenza de que ella sea la que me cuide.

Todavía falta para que amanezca. Abrazo a mi hermana, recuesto su cabecita en mi regazo. Si temo, la traiciono. Le acaricio el pelo, siento los brazos que me aprietan hasta que su respiración se hace profunda y yo misma me pierdo en un sueño sin imágenes.

"Escríbelo. Regístralo. Apúntalo. Nadie sabe que dentro de un bloque de mármol hay escondido un cuerpo, una cara, unos ojos que miran los tuyos, hasta que los descubre un escultor. Así es con lo que sientes, con lo que piensas, cuando lo ves escrito".

Esas cosas me dijo mi padre cuando yo tenía los años de Isolina. ¿Llegó a escribir él, en la cárcel, algún cuaderno, algún libro donde esté su retrato hecho de palabras? Solo me quedan cartas. Cartas calladas, casi mudas, porque las revisaban curas, alcaides, policías; cualquiera que supiese leer y que tuviera poder sobre nosotros. Y era mi madre la que explicaba lo que él había ocultado en las cortas frases, que a veces venían trazadas en cartones o en el revés de páginas impresas.

Hasta que también esas cartas mínimas dejaron de llegar, y la voz de papá ya no tuvo trazos visibles y empezó a ser un rumor cada vez más lejano, guardado en la memoria profunda de mi corazón.

12   Golpean a la puerta.

—¡Nenas! ¿Ya despertaron? El señor volvió y las espera abajo.

El "señor" es mi tío Juan. En la casa de mi abuela nadie le decía "señor". Estaba en una foto que se tomó hace treinta años, antes de embarcarse en Vigo. Allí era un muchacho flaco y fibroso, triste pero casi alegre, porque se iba a la tierra de las manzanas de oro, que solo crecen en los cuentos y que nadie encontraba en los huertos de Galicia.

Mi abuela miraba esa foto y no las que fueron llegando luego. La de la boda de Juan con una muchacha de Ribadeo que conoció en Buenos Aires. La de sus dos niños ya crecidos, en traje de comunión. La de su primer almacén de ramos generales, en Chivilcoy, la ciudad de la pampa donde estamos. Eran las fotos del éxito. La prueba de que el ausente había triunfado. La abuela se las mostraba, a veces, a otras vecinas cuyos hijos no habían marchado tras las manzanas de América y que, para bien y para mal, compartían con ellas la pobreza y las cuidarían hasta el día de su muerte. Pero en su propio cuarto se veía únicamente esa imagen del hijo mozo, que ella apretaba en silencio, noche a noche, contra su pecho.

La habitación que nos han asignado tiene una cómoda y un ropero alto, de buena madera, con un largo espejo que nos refleja cuando terminamos de vestirnos. Aún no he cumplido los dieciocho y mi hermana no llega a los diez. Sin embargo, parecemos viejas. Dos niñas de luto siempre parecen viejas.

La garganta se me aprieta al bajar por las escaleras, llevando a Isolina de la mano. Voy a ver por primera vez a mi tío, el hermano mayor de nuestra madre, que dejará de ser solo una foto.

El tío no fue a buscarnos a Buenos Aires; estaba de viaje, por asuntos de su comercio. Braulio, su empleado de mayor confianza, lo sustituyó. Tampoco estaban nuestros primos para recibirnos. Uno de ellos murió apenas pasada la pubertad, de una enfermedad de la sangre. Su hermano Enrique, mayor que yo, vive lejos, en una región llamada Mendoza, cerca de la cordillera que separa la Argentina de Chile. Braulio nos lo ha contado durante el viaje en el ferrocarril que nos lleva hacia el Oeste, en este país donde cabrían varios del tamaño del nuestro. Aunque no hemos salido de la misma provincia, tardamos varias horas en llegar hasta aquí y tardaríamos aún mucho más en alcanzar sus límites.

Esperamos al tío en la sala, bajo un reloj de pie que da las horas muy despacio. Isolina parece indiferente a los minutos que se estiran. Mira, curiosa, los dibujos de la alfombra, las patas curvadas de las sillas. Enrolla y desenrolla el lazo de seda de su vestido. Nos hemos puesto lo mejor que tenemos. Como si fuéramos a una misa en la catedral de Santiago de Compostela. Como si no estuviésemos por presentarnos ante nuestro tío, sino ante el más alto funcionario de la oficina que va a concedernos el verdadero pasaporte de entrada a este planeta. ¿Hasta la caridad de la familia impone audiencias a dos huérfanas que vienen desde el fin de la tierra?

Un hombre alto, algo cargado de espaldas, está de pronto frente a nosotras, aunque aún no nos mira. Cuando alza por fin la vista y veo en su cara los ojos grises de mi madre, lo sé todo. Ha huido muchos años, ha buscado refugios y parapetos. Los ha construido. Se ha creído a salvo tras las paredes de su casa de altos, bajo la marquesina de ramos generales, dentro de su traje dominguero de buen corte. Pero la fuga ha terminado porque nosotras, gracias a él, o a pesar de él mismo, hemos venido.

Me abre los brazos y me hundo en ellos y lloro por todo lo que no he llorado desde que dejamos Galicia, desde que nos asomamos por última vez al mar furioso sobre las escolleras de Fisterra después de enterrar a nuestros muertos.

4

Hace calor y la tierra es chata, con muchos árboles,
aunque pocos, o ninguno, son naturales del suelo. "El
que los quiere, los planta", dice el tío Juan. Y crecen. Aquí
nada viene hecho, pero todo, al parecer, promete y nace.
El brillo de este mundo contrasta con la niebla melan-
cólica que nos vio partir. Salimos con un frío que calaba
los huesos, para desembarcar en el verano resplandecien-
te. El sol y el cielo se ven desde todas partes porque no
hay montañas y las casas bajas tampoco lo estorban.
Tomadas de la mano, en mitad de la calle, miramos hacia
arriba y somos dos muñequitas atrapadas en un globo de
cristal luminoso.

El ama que sirve en la casa nos regaña. No está bien
que dos niñas, una de ellas ya una señorita, anden solas
por la calle a la hora de la siesta. Menos, si llevan luto. Y
menos todavía, si son las sobrinas de don Juan.

Así: don Juan, llaman aquí a Juan Lago Liñeiro, Juan,
el de la *Casa das Ánimas*, el que fue una vez, según la
abuela, *un neno de pernas fracas* que apedreaba lagartos.
Así lo saludaron hoy, en la misa a la que nos ha llevado.

No es, o no ha sido, por lo que sé, un hombre devoto. Pero estamos aquí por otros motivos: para que él pueda presentarnos a sus clientes, sus vecinos, sus amigos. Para que nos den la bienvenida.

Las señoras, sobre todo, nos rodean en el atrio, como si fuéramos novias a destiempo, vestidas de negro. Alguna estira la mano para acariciar la cara de Isolina. "Qué bonitas son", le dicen al tío, "lo felicito". "Una gran compañía ahora que la pobre Consuelo...". "Pobrecitas", susurra otra. "Tan chicas y ya sin padres". "Y lo que habrán pasado, allá, en la guerra".

La gran muñeca de Nuestra Señora del Rosario, patrona de la ciudad, me recuerda a mi madre y a mi abuela, que rezaban el rosario en los atardeceres. Pedían por el retorno de los que nunca volvieron: Juan y sus hermanos. Manuel, mi padre. Rogaban con pena y con angustia, como si ya hubieran perdido la partida y diesen por descontada la inutilidad de la súplica.

Quizá por eso no las escucharía esta Virgen de túnica rosada y manto celeste: fuertes colores pastel, casi chillones. No es la Dolorosa de manto negro, con sus lágrimas de sangre y el corazón atravesado por los siete puñales. Es la Reina del Mundo, con su alta coronita de oro, que les muestra a todos su Niño nuevo, casi desnudo, vivo.

Por la tarde, trabajamos con nuestros baúles. Tenemos buena ropa, porque nuestra madre fue la mejor costurera y labradora de encajes de Fisterra. Traemos para mi tío los más bellos manteles de la *Casa das Ánimas*, de lino bordado primero por mi abuela y luego por ella: *a nosa nai*, Magdalena. La que sobrevivió a los tres hermanos varones que se llevó la guerra y cuidó a la madre de todos. La hija que fue madre de su madre. Una lágrima cae, sin ruido, por la mejilla derecha de mi tío no bien reconoce la mantelería y el encaje de bolillos que nos dieron de comer cuando ya no quedaba nadie para labrar las fincas y las remesas de América no habían empezado a llegar.

También, en los baúles, están los libros.

El tío Juan levanta varios, los sopesa con cariñoso cuidado. Algunos están escritos en *galego*, como los de Pondal o Rosalía de Castro. En ellos sobrevive nuestro padre: los puros huesos que nos quedan de él.

Hay otros de historia, de geografía, de gramática, de contabilidad, en los que yo misma estudié. Los hay de política y de filosofía y de literatos que no pueden leerse hoy en España. Los dos sabemos que algunos de esos libros, llamativos, peligrosos como señales rojas, empujaron a la cárcel a papá, el maestro. Como al otro preso, también muerto, que forma parte de esa pequeña biblioteca: el poeta Miguel Hernández.

—Tu hermana irá a la escuela cuando empiecen las clases. ¿Y tú que vas a hacer?

—Lo que usted necesite.

—Pues una ayudante de contaduría, que saque la diaria, escriba con buena letra y atienda la caja. ¿Te conviene el puesto?

Nos damos la mano, para sellar el pacto.

Quiero dormir. Llevo puesto el último camisón que mi madre cosió y cortó para mí. Isolina descansa desde hace rato. Ni siquiera ha llegado a desvestirse. Tuve que descalzarla, quitarle las medias, taparla apenas con la colcha liviana del verano.

Ella siempre puede dormir. Pero yo no. Apenas cierre los ojos, aparecerán los sueños que me aterran. *Detrás de mí, todavía lejanos, se oyen los gritos de los hombres que me cazan. Levanto la mano húmeda, la miro a la luz turbia de la luna, la huelo, la pruebo con la punta de mi lengua seca de terror. Y caeré a pesar de mí, dejando un rastro húmedo y oscuro en la profundidad del bosque.*

¿Cuántos años tiene mi tío? Peina muchas canas, pero   19
no puede ser tan viejo. Lleva algunas marcas que no se
le veían en las fotos. Una cicatriz en la mejilla izquierda,
que se le enrojece con las emociones, sobre todo bajo la
ira. Una renquera leve en la pierna del mismo lado, más
notoria cuando se apresura desde al almacén hasta la calle
para recibir los camiones que traen las mercancías.

Apenas ha de pasar el medio siglo. Los hombres que
viajan, sobre todo los hombres que se fueron de la tierra
que los crió, ¿envejecen menos o más? "El tiempo corre feroz para los que marchan camino al Sur", decía la abuela.
"El sol de América los cuece y los quema. Si no se les nota
por fuera, se arrebatan por dentro. El corazón les queda
consumido y arrugado como una pasa".

Yo creo que es otra cosa. Que viven en dos tiempos.
Uno es el de América, el lugar a donde llegaron arrastrados por el viento y se posaron, ligeros como los vilanos
de las flores de cardo. Se enredaron en los pastos, des-
madejándose poco a poco, perdiendo pelos, fibras, cuerpo,
borrándose en la llanura. El otro es un tiempo que no

transcurre, inmóvil y circular, al que siempre se vuelve, hecho de lugares indestructibles, de caras que nunca se ajan. En ese otro tiempo de mi tío Juan, el viejo Meirelles tiene apenas cuarenta años y sus fincas están labradas y nadie le ha quemado el brocal para que de allí saliera el soldadito rojo escondido, el maquis republicano, como una rata de su madriguera. O para que se incendiase vivo dentro de ella mientras se oían los alaridos por todo el monte. En ese tiempo mi madre aún es una niña de trenzas claras, de la edad de Isolina, y a mí todavía me falta tanto para nacer.

El día lunes empieza muy temprano. El ama Trinidad ya
ha encendido la lumbre en la cocina de leña. La ventana da a un patio y, más allá, a una huerta con frutales.
Desde ahí llega Braulio, que viene de la casa de la huerta,
donde viven los dos. Ella es gallega también, una paisana
de Corcubión.

Lo primero que pone al fuego es una especie de tete-
ra de metal, que aquí llaman pava, donde se calienta el
agua. Pero no tanto como para que eche a hervir. Luego
la vuelca sobre un té de hebras muy verdes, en un jarrito
enlozado. Se lo bebe aspirándolo con un tubo metálico.
Es el mate, me dicen, el té de las pampas, que la mayoría
de los argentinos toman no bien amanece. Abre los ojos de
los dormidos, despeja los pesares, aliviana la carga del
trabajo. El tío Juan sorbe ese té caliente, como Braulio,
que es nativo. "¿Qué me miras, niña? Este país sin bordes te
acostumbra. No hay mejor compañía para tantos hombres
solos, lejos de los suyos".

Me lo ofrecen, pero no me animo a probarlo. Prefiero
el café con leche que prepara Trinidad. Mojo en la nata

espumosa el pan blanco, de trigo, rebosante de mante-
quilla fresca. Hay jamón, queso, huevos, lo que se quiera.
Hasta roscas espolvoreadas con azúcar.

Como todo hasta que no puedo más, absorta en la
delicia. En paz, sin el nudo en el estómago, sin el apretón
en la garganta de los primeros días. Miro lo que devoro,
lo paladeo, no me alcanzan los dedos ni los dientes. De
pronto me doy cuenta, con vergüenza, de que los tres,
Trinidad, Braulio, el tío Juan, me miran a mí, se sonríen
y me sonríen.

—Sigue, anda —me alientan—. Que nos da tanto
gusto verte comer.

¿Cómo es posible que lo que se vive en menos de un mes
valga por diez años? Me veo de cuerpo entero en el espejo del armario y ya soy otra. Parezco el personaje de una foto. Esas que tanto se esperan del lado de allá, para mostrarles a los vecinos y familiares cuánto han progresado sus hijos, sus hermanos, sus nietos, en las Américas... Podríamos retratarnos con Isolina, una a cada lado del tío Juan, en su traje de domingo. No en un estudio de fotógrafo sino frente a la puerta de su negocio nuevo, que ocupa toda una esquina en la avenida principal. Las paredes fueron revocadas y pintadas hace muy poco. Las maderas de la puerta de entrada relucen como si el barniz todavía estuviera fresco.

La fotografía de hoy mejoraría mucho la primera que el tío pudo mandarnos, recién una década y media después de su partida. Entonces su almacén era tanto más pequeño y las paredes no tenían revoque. Pero había una mujer a su lado: la tía Consuelo, y dos niños, dos *cativos*, a punto de hacerse mozos. Y en el letrero de la marquesina, unas palabras más, las últimas, que (¿hace cuánto?)

desaparecieron: RAMOS GENERALES. JUAN LAGO LIÑEIRO E HIJOS.

Algún día me atreveré a preguntar por qué mi primo Enrique, el hijo sobreviviente del que mi tío nunca habla, se borró o fue borrado del cartel. Quizá cuando baje el sonido de las alarmas que enciende la lucha cotidiana, cuando se haga el silencio y las palabras caigan en puntas de pie sobre las zonas blancas que preceden al sueño.

24   Las jornadas están llenas de personas, las mercaderías tapizan las paredes en un equilibrio inestable; entran y salen, cambian de dueños. Pero las imágenes quedan, se amontonan en los globos de los ojos. Cuando los cierro, empiezan a moverse como burbujas y si vuelvo a abrirlos de un golpe, fosforecen en la oscuridad.

Todavía los clientes, y también algunos vecinos que casi no compran nada, se alinean con disimulo para mirarme y escucharme hablar. Hace un tiempo que no llegan nuevos grupos de españoles. Somos parte de la última ola: las esquirlas, la resaca que trajeron el hambre y la orfandad de nuestra guerra. Algunos estuvieron esperando a que los ganadores de la otra guerra, la más grande, la que mató a millones de personas a lo largo de Europa y fuera de ella, se apiadaran de España. Que la curasen del Generalísimo Franco con su poder y su conocimiento, como se cura una enfermedad terca y terrible. Eso decían los diarios y los folletos que me llegaban bajo cuerda, escondidos, y que yo recibía de los amigos de mi padre, cuando él ya estaba muerto y no podía leerlos.

Pero nadie nos ayudó. Los triunfadores le temían mucho más a la enfermedad de los rusos, el comunismo. Y Franco les servía para que no infectase a España.

Nosotras solo esperábamos a que la abuela siguiese a nuestra madre. Que muriese también, despacio, con trabajo, como venía viviendo, y que se despidiese en paz de Isolina y de mí, que éramos su único mundo.

¿Será siempre así? ¿El mundo de todos los viejos se reducirá a una o dos caras al lado de una cama o a la huerta donde apenas caminan tres pasos, o al pedazo de cielo que ensucian unos vidrios? Quizá la abuela lo aceptaba mejor que otros. Los que nacimos en Fisterra, en Finisterre, en el Fin de la Tierra, decía, nos acostumbramos desde hace siglos a pensar que no hay más mundo por delante de nosotros. Así lo cuentan los libros. Que las tropas romanas llegaron a Galicia, la pequeña Galia, y no pudieron seguir avanzando en su hambre infinita de ensanchar el Imperio porque la tierra se terminaba ahí mismo, se interrumpía sobre el mar abismal.

En el borde del mundo, en el borde de la vida, solo queda saltar. Esas alas que llevamos en secreto, cuerpo adentro, se abren únicamente cuando nos atrevemos a caer.

26 La señora Angelita Tagliaferro me mira. Es ancha, sólida, robusta. Se perfuma mucho. Tiene el pelo rubio, teñido, con rizos muy marcados por la permanente. A la salida la espera siempre su marido: un hombre también ancho, moreno, que se peina con fijador. Salen del brazo, alegres. Pronto se irán, los dos, a otra ciudad, donde el señor Tagliaferro expandirá su pequeña carnicería, en sociedad con un hermano. Y la señora Angelita dejará de ser la cajera de Juan Lago Liñeiro, Ramos Generales. Ayudará a su esposo hasta que arranque el negocio. Después, me dice pudorosa, quizá porque Isolina está mirándola con los ojos abiertos y redondos, piensan encargar un bebé a París. Isolina me da un codazo. Vimos nacer en las fincas cerditos y terneros. Oímos, en casas de parientes y de vecinas, el grito de las parturientas y el primer lloro de los recién nacidos. Sabemos que los niños, por lo menos los nuestros, no se hacen en París.

Cuando Angelita se vaya me haré cargo yo sola de la caja. Me costará llenar el espacio de ese cuerpo grueso que se mueve con vaivenes estampados y florales como los abanicos.

¿Hay rencor en la mirada de mi tío cuando la ve marcharse con el señor Tagliaferro? Son o parecen felices, y hace mucho que una mujer de vestidos alegres y carne espesa no camina de su brazo por una calle. La joven tía Consuelo, que aparece en los retratos con mis dos primos, también era redondeada y alta, aunque sus vestidos no tenían jardines ondulantes como los de Angelita. Tal vez porque, mientras mis primos crecían bajo el sol americano, el padre y luego la madre de mi tía morían uno tras otro, en una aldea gallega, condenándola a un tiempo monótono y severo, de ropa oscura.

—Era hora —dice el tío Juan—. La familia tiene que estar al frente de la caja. Siempre es mejor así.

Sin embargo, mi primo, el hijo de Lago Liñeiro, no ocupa ese lugar, y yo soy apenas una sobrina que hasta ayer conocía solo por imágenes y por letras volátiles. Pero él baja los ojos como una persiana metálica, para que yo no pueda seguirle la mirada.

La tienda es muchas tiendas. Una colección de todas las cosas. Un arca de Noé. Una suma de diversidades. Hay bebidas alcohólicas que los clientes pueden consumir en el lugar, acodados en el mostrador, y hay granadina para los niños. Hay sacas de yerba mate, de azúcar y de harina; ropa de montar, espuelas y aperos para los caballos. Hay un sector de carruajes y máquinas de labranza, lo más moderno que se consigue por aquí. Hay tornillos y destornilladores, clavos, sierras, herrajes, fallebas, ladrillos, bolsas de cemento. Hay cueros crudos que huelen fuerte y chalecos de cuero blando que parecen seda. Hay ristras de ajos y bolsas de cebolla. Hay vajillas completas, finas y ordinarias. Platos de latón y platos de porcelana. Teteras inglesas y pavas de aluminio. Vasos gruesos y copas con un fino borde dorado.

—Celia, por favor, necesitamos ayuda en el sector comestibles —dice mi tío cuando los pedidos desbordan.

Y si no es con los víveres, con cualquier otra cosa, porque todo se vende: cortes de carne, pan casero y galleta dura, cuadernos y libros para la escuela, sobres simples y sobres entelados para enviar invitaciones. Y cortaplumas y navajas de afeitar y cuchillos anchos para faenar animales y quizá personas. Hay tabaco y golosinas, velas y faroles, insecticidas y purgantes. Tijeras de podar y tijeras de capar.

—¿Usted qué aconsejaría? —me preguntan las mujeres que vienen por las tardes, con cierto tiempo, y se pierden con deleite en el sector de damas, donde todo les gusta, pero no todo pueden comprar.

Allí se multiplican los jabones de tocador, las cremas para la cara, las esencias de olores exquisitos. Hay ovillos de lana y ovillos de hilo de coser y de bordar y agujas y costureros que Isolina revisa, curiosa, como si guardaran tesoros. Hay telas de todas las texturas y colores: terciopelo y paño lenci, gasa y percal, batista y gro, raso y satén, viyela y franela y algodón, *chiffon* y tul. Y una mujer diminuta que se encarga de medir, cortar y administrar esos variados paños, opacos o esplendorosos.

Se llama Clémentine, y también nació en el fin del mundo. Pero no en el nuestro sino en el Finistère de la Bretaña francesa. Lleva muy corto el pelo casi blanco pegado a la cabeza como una gorra. Trabaja con increíble exactitud y a tanta velocidad que apenas se le pueden ver los dedos. Luego las manos se le quedan sobre las telas, ligeras como si se posaran. Dicen que llegó a este Sur con un hombre de mar que murió en un naufragio, doblando el Cabo de Hornos. Casada o no, todos la llaman Madame Clémentine. Isolina la mira como si hubiera venido de otro planeta, quizás angélico. La sigue por los laberintos de los estantes, mientras asciende por la escalera con ruedas que la lleva de fardo en fardo. Un empleado viejo como ella pero muy alto baja todo lo que le indica, a veces solo estirando la mano, sin necesidad de tomarlo con un gancho. Es Giacomo. Alguna vez pintó frescos en iglesias y en salones de Nápoles, aunque no pasó de aprendiz. Su padre lo trajo a las Américas, donde no volvió a pintar nada y solo encorvó la espalda bajo el peso de las bolsas de granos en el puerto.

¿Forman ellos parte de la gran colección de ramos generales? ¿Es este país, la Argentina, otro almacén donde se juntan cosas y seres dispares que de otro modo jamás se hubieran reunido? Siento que todo es parte de un rompecabezas secreto y que una gran belleza está por sucederme. Soy un signo en un código, la letra de un mensaje donde me están escribiendo. Clémentine y Giacomo, Isolina y yo, suspendidos en medio de la tarde como puntos que absorben los colores del universo, en una tela que no podemos ver.

9

30   *Alguien está sobre todo mi cuerpo. Una masa que bufa y que resopla. Busca el lugar por donde clavarse en mí. Para herir, para romper, para matar después, una vez que me abra con su sexo, que usa como un arma. Logro moverme por debajo, golpearlo con la rodilla en los cojones, rodar hacia afuera. La finca de Meirelles, despojada y sombría como está, me parece la puerta inalcanzable del paraíso. Si salto el muro bajo, estaré a salvo. Sé dónde esconderme. Los dos perros, viejos como sus dueños, me conocen desde que era una criatura y no me delatarán. El aire me falta a medida que mis piernas aumentan la velocidad. Boqueo como un pez fuera del agua. Floto desesperada en un vacío salvaje.*

Amanezco bruscamente del otro lado del mar. Los postigos semiabiertos dejan pasar el resplandor de una brisa iluminada. Me acodo en la ventana sin abrirla del todo, muy despacio, para no despertar a Isolina. Me lleno los pulmones mientras el viento fresco me seca el sudor del pecho y de la frente.

No soy la única despierta en la casa. Alguien se mueve en la sala, los pasos crujen sobre el piso de madera, avanzan y se paralizan y reanudan su marcha, como si un largo tormento los inquietara. Cuando me asomo a los bajos de la escalera, veo al tío Juan, hundido en el sofá con la cabeza entre las manos. Me siento frente a él en la mecedora y entonces me mira, con ojos vidriosos que no se detienen sobre mí. Los ojos me traspasan y van hacia otra parte, muy lejos de esta sala y de esta casa en una ciudad plana y tranquila.

—Hace frío en el Sur. En el sur de este país. Tanto como en Fisterra. A veces, más todavía. El mar es duro, irregu- lar, profundo. Hay temporales, y olas de varios metros que se tragan las barcas. Y los puertos tienen nombres sagrados y nombres de añoranzas: Puerto Santa Cruz, Puerto San Julián, Puerto Deseado. Nada puede ser más deseado que un puerto en la tormenta de ese mar sin fondo.

El reloj de pared da las cuatro. Solo dos infelices que tienen pesadillas más fuertes que la vida, colmados de congojas, se despertarían a esa hora.

—¿Cuándo estuvo ahí, tío?

—Un tiempo después de llegar a Buenos Aires. En la Capital trabajé en bares, como ayudante de cocina, después como mozo. En una romería conocí a Consuelo, que acababa de llegar de Ribadeo. Nos gustamos, la cortejé. Pero yo era demasiado joven y también quería otra cosa: salir del encierro del bar, ver mundo, alcanzar su confín, el otro Finisterre, el sur del Sur. Le dije a Consuelo que probaría fortuna y que le escribiría. Un paisano me llevó con él a Comodoro Rivadavia. Nos metimos en la pesca. Aunque era lo que sabía hacer mejor, no duré mucho.

No había venido hasta aquí para repetir la historia de mi padre y morir en el mar bravo. Otro gallego me consiguió empleo en una de las estancias donde criaban ovejas. En cada una cabían cientos de fincas como las que cultivamos en nuestra tierra. Era increíble que tanto campo fuese de un mismo dueño. Leguas y leguas con miles de animales, mejor tratados de lo que nos trataban a nosotros. El precio de las lanas había caído luego de la Primera Guerra y también la miseria que le pagaban al obrero. Estaba en una trampa, en un brete. Atrapado como las bestias que esquilábamos o carneábamos. Perdido en el fondo de una nación tan grande como varias naciones, en una cárcel sin puertas y sin muros. Otros la pasaban aún peor. Polacos y rusos, que hablaban mal y poco el castellano, alemanes, algún galés. Tenía pensado fugarme, como fuese, cuando estalló la revuelta.

—¿Qué revuelta?

—La de los obreros y los empleados del ferrocarril y los peones rurales. Las huelgas del Sur empezaron en 1920, cuando gobernaba el presidente Yrigoyen. El año anterior ya se había hecho un gran paro en Buenos Aires, que costó la vida de muchos trabajadores. Aun así, la chispa prendió también entre nosotros. Tantos que se sentían como yo, o todavía más desgraciados porque habían perdido la juventud y no podían consolarse con la esperanza de una vida mejor. La Patagonia ardió como un solo bosque seco, de las ciudades a los campos. Pero llegó la Policía y luego el Ejército, más devastador que cualquier fuego, y para nadie hubo piedad.

El tío Juan habla como si continuara en el sueño que lo ha despertado. Dentro de sus ojos veo los fragmentos inestables de ese paisaje en llamas.

—Tenían perros adiestrados para cazar hombres. La sangre de las ovejas degolladas empapaba los llanos secos. Y la sangre de los hombres, fusilados de diez en diez, de cien en cien, siguió a la de las ovejas.

¿Qué clase de frutos o de flores habrán crecido después sobre esa tierra?

—Algunos lograron cruzar antes la cordillera, rumbo a Chile. Uno de esos fue el Gallego Antonio Soto, que tenía sobre el pecho la bandera libertaria, roja y negra. Nos mataron y alguna vez matamos. Los militares más, mucho más y mucho peor. El paisano que me había llevado al Sur fue de los primeros en caer.

Pero no es eso lo que desvela al tío Juan en las horas de la madrugada. No se le quiebra la voz ni se le oscurecen los ojos solo por todo lo que sufrieron él y sus compañeros en esos días.

—Eran gente de trabajo. Muchos ni siquiera podían mandar una moneda a las familias que habían dejado tan lejos. Luchaban con lo que tenían, porque no les quedaba otro remedio. Pero no todos los que pelearon conmigo en aquel tiempo hicieron siempre lo que debían hacer. Tampoco yo.

La mano derecha del tío tiembla un poco mientras levanta una copita de contenido transparente. El olor llega hasta mí, como un recuerdo punzante. Es el aguardiente de *oruxo* que se toma en las casas gallegas, al amparo de la *lareira*. No hay como ese fuego para disipar las sombras de todos los inviernos, cuando ningún sol externo puede confortar las almas inconsolables.

—Había un hombre al que llamaban el Toscano, un anarquista como Soto, aunque no de la misma madera. Valiente, sí, pero prepotente y mandón. No le importaba mucho quién se estaba llevando por delante, lo mereciese o no. Tenía su tropa: algunos italianos como él, algún francés, alemanes, gauchos argentinos y chilenos, un negro que hablaba el portugués, varios españoles. Anduve con su banda por un tiempo. Entrábamos en las estancias, nos alzábamos con lo que hubiera y lo que sirviese, a veces tomábamos rehenes para negociarlos con los militares. Entonces ocurrió. Y todavía, en noches como hoy, la sigo viendo.

La muchacha había muerto en uno de esos asaltos, boca arriba, mirando al cielo, los ojos muy abiertos, mientras el mayordomo y su mujer estaban encerrados en un cuarto de la estancia y varios de la gente del Toscano cenaban en la cocina.

Por culpa de ellos la chica miraba al cielo con grandes ojos de oveja degollada, aunque no habían querido matarla. Tres la siguieron cuando terminó de servirles los víveres de la despensa y se deslizó hacia afuera, esperando no ser advertida. Eran machos jóvenes que habían tomado de más luego de días azarosos de cabalgata. La invitaron a beber, luego la insultaron a los gritos porque les tenía miedo, como si ellos, los que venían a libertar a todos los siervos, y no los patrones, fuesen sus enemigos.

—La chica no nos hizo caso. Empezó a caminar más rápido, y después a correr. No había una sola luz —susurra el tío Juan—. Ni siquiera la de la luna.

Ella seguía corriendo bajo la tiniebla protectora, esperando llegar a un escondite conocido: un galpón, un brocal viejo, un murito sobre el cual saltar y desaparecer. Quizá se hubieran cansado pronto de esa persecución estúpida y hubiesen vuelto hacia las luces de la casa y el único recuerdo de aquella noche habría sido un latigazo de resaca a la mañana siguiente. Pero los perros ovejeros empezaron a ladrarles. En ese momento sacaron los revólveres y dispararon y se oyó el grito.

Era casi un quejido, pequeño y delgado como la jovencita hundida en el mar de la oscuridad, que amanecería con la cabeza rota y las pupilas muertas que clamaban al cielo.

—Yo también disparé, como los otros —dice el tío, sin enfrentar mis ojos—. Y nunca supe cuál de nuestros tiros fue el que le dio.

10

36   En el revés de las noches del terror y de la culpa crecen los días. De este lado del mundo y del tiempo casi siempre tienen sol en el corazón y se van abriendo como flores amarillas. A veces las personas lo traen en ráfagas hasta el interior del almacén que protege sus tesoros de los rayos excesivos.

La señora Carmen Brey es tan solar y tan dorada como la flor del tojo. Nació en la costa gallega, en la ciudad de Ferrol, donde todos los ventanales fulguran contra la luz del mar. No usa su apellido de casada. Quizá porque cuesta pronunciarlo y porque todo el mundo sabe que es la esposa del doctor Phorner, el inconfundible y único filósofo alemán de esta villa. También ellos dos tienen una sociedad: un almacén de ramos generales de la sabiduría, donde se puede aprender sobre casi todo. "Instituto de Cultura", está escrito sobre la puerta. Y debajo del rótulo: "Enseñanza de Idiomas". Y sigue aún: "Cursos de Filosofía, Literatura, Historia e Historia de las Religiones, Matemáticas y Lengua". Los nombres y apellidos de Carmen Brey Moure y Ulrich von Phorner figuran ahí, unidos, encabezando una lista de profesores que trabajan en el Instituto. Todavía no dice "E Hijos". Sus dos varones son estudiantes en el bachillerato.

El Instituto se encuentra en una gran casa de dos plantas, con fachada italiana. En la planta baja funcionan los cursos. El que fue salón de recibo es el aula principal, reservada para las inauguraciones y los cierres de las clases; hasta se ofrecen recitales y conciertos. Hay otras aulas y una cocina y, al lado, una salita. La planta alta ha sido refaccionada y acondicionada como vivienda para la familia. En uno de los balcones que dan a la calle lucen una mesita y unas sillas. Allí nos sentamos la profesora Brey y yo, una tarde de sábado. Tomamos refrescos de limón mientras vemos a las familias arregladas para el paseo, que salen de una función en el cinematógrafo, o entran a otra, o van de visita. Señoras del brazo de sus maridos, niñas casaderas que flotan como corolas dentro de sus vestidos entallados y cuchichean y se ríen como tontas. A lo mejor hablan del disfraz que van a lucir en los próximos Carnavales, del novio que aspiran a tener o del que las pretende. Se deslizan ilusionadas, infantiles, por el amplio bulevar con palmeras de ese mundo menor, quieto, casi mullido, donde no pasa sino lo rutinario. Tal vez no salgan nunca de aquí, salvo para una visita a Buenos Aires o, si las cosas van bien, para un veraneo en la costa o en las sierras. Morirán en el mismo lugar en que nacieron, rodeadas de nietos, seguras, familiares, después de haber ejercido toda la vida la profesión "sus labores".

Cuando por fin vuelvo la cara, los ojos azules y agudos de la señora Brey están sobre mí.

—¿Te parece que tienen suerte, verdad? Que la vida es blanda para ellas, y que no lo es ni lo ha sido para otras, como tú.

—No sé si es una suerte afortunada. Pero es distinta de la mía en todo caso.

—Sí y no.

—¿Cómo que no?

—Nadie puede escapar al sufrimiento.

—No todos los sufrimientos son iguales.

—Ni todas las personas. Pero siempre los seres humanos deben tocar el límite de sí mismos. Llegar a Fisterra.

—Donde nacimos Isolina y yo. De allí partimos, como si nos arrojáramos al vacío.

—No hay quien no lleve dentro su Fisterra. Aunque no haya salido nunca de su ciudad o de su aldea. Pobres o ricos, protegidos o a la intemperie, llega el momento en que se nos exige más de lo que creemos poder dar. En que chocamos contra lo desconocido y afrontamos el terror de no ser más. No ser ya quienes éramos y no poder ser otros. No encontrar las nuevas claves para seguir viviendo. Y es así a cualquier edad, desde el principio hasta el fin. También debemos aprender cómo envejecer y cómo morir.

La profesora Brey termina su refresco y responde, amable, los saludos de algunas madres que pasan bajo el balcón. Yo no puedo articular palabra. Ha leído dentro de mí como debe de leer sus libros. Los que trepan por las paredes, del piso al techo. Tan variados como las mercaderías que cubren las paredes del almacén. Pero todos tienen en común haber sido escritos en lenguas humanas que en cualquier caso dicen algo para alguien, así como todas las mercaderías son objetos que se venden y que en algún momento, por algún motivo, los clientes querrán comprar.

—Desde los balcones de la casa de mi abuelo, en Mugardos, siempre se veía el mar. Un animal feroz que se hacía doméstico en las tardes de primavera y se dejaba adornar con las flores que las mozas arrojaban al agua en los días de regata. Ya no lo veré nunca desde esa casa.

—¿No volvió?

—Solo una vez. Para firmar la escritura de venta. Pero no crucé la puerta ni subí al balcón.

—¿Por qué?

—Es una historia larga. Todos tenemos una. O muchas. Guardadas en cajas que nos resistimos a abrir o que parecen arrumbadas en algún estante, cubriéndose de polvo. Hasta que llega el momento oportuno y decidimos levantar la tapa.

La llave chirría en la cerradura de la puerta principal. Entran dos muchachos: Alberto y Esteban, los hijos de la señora Brey, con su aire de escolares. Uno de ellos usa todavía pantalones cortos. Detrás viene el doctor von Phorner con un joven alto que tiene, como el profesor y como Alberto, un pelo llamativo, rizado, castaño rojizo, que intenta domar con un corte severo.

"Nuestro sobrino Gustavo", dice el profesor. "Estudia Medicina en La Plata. Le quedan unos días de vacaciones, pero los desperdicia preparando exámenes", se ríe, no sin orgullo.

Gustavo tiene un dejo en el habla. No es el fuerte acento alemán del profesor Phorner. Es un ruido de fondo, como un rumor distante. Como un óxido que se concentra solo en ciertos puntos de la lengua y es imperceptible la mayor parte del tiempo. No tengo ocasión para averiguar más. Él se despide cortésmente y desaparece en el interior de la casa.

11

Todo el mundo hace planes para nosotras.

Isolina irá pronto a la escuela, como las demás niñas de su edad. El tío Juan me quiere con él. Que aprenda todo lo que hay que aprender para ser su mano derecha, la sucesora familiar, al frente de su negocio. La señora Brey se ha ofrecido a prepararme para que complete aquí mis estudios secundarios y estudie lenguas y literaturas y las enseñe a otros en su almacén intangible. Clémentine y la señora Tagliaferro, que ayer se despidió de nosotros, han seleccionado los cortes de tela que deberían aliviar la cerrada monotonía de nuestro luto. No me parece mal. El luto ya lleva un año, por más que el duelo no se acabe. Nuestra madre era alegre, aunque fuese tan triste el tiempo que le tocó vivir. Que *nos* tocó vivir. Aprendí junto con las letras del alfabeto que los bosques guardan muertos sin sepultar. Que algunos de esos muertos se pudren cara al cielo porque nadie tiene el coraje de enterrarlos. Que en la escuela de monjas de la ciudad, donde hice los cursos del bachillerato, yo debía ocultar que era la hija del maestro preso, como un secreto vergonzoso que la madre superiora guardaba por caridad y porque era la prima de mi abuela materna.

El tío Juan pagó esos años de estudios de un modo u otro, con giros, o por medio de paisanos con los que tenía negocios. El dinero de América siguió llegando para cubrir la pensión del internado y, cuando debí dejarlo y atender a mi madre, para ayudar con el pago de los médicos y de las medicinas que no lograron salvarla.

Cuando se cierra el almacén, se traban los postigos de puertas y ventanas, se baja la cortina del depósito y se guardan los camiones y la furgoneta que lleva el reparto a los establecimientos rurales. Entonces nos sentamos a la mesa de la cocina con los libros de cuentas y repasamos las existencias y los faltantes, el balance de caja y el balance de la vida.

El tío mira al huerto: un jardín interior protegido de todo, donde crecen hortalizas, frutales y también flores cuyo único fin es el adorno y la alegría de los ojos. En cada flor, sin embargo, hay un espejo de caras y de historias jamás olvidadas.

—Me salvé mientras tantos otros murieron. Fusilados a campo abierto. O contra paredes encaladas de galpones que se volvieron rojas. El coronel Varela rompió todas las promesas. Quebró todas las garantías. Yo tuve suerte. Después de la noche en que murió esa muchacha me avergoncé de mí mismo, me separé del Toscano y empecé a vagar por los campos barridos por el viento, tan grandes como el cielo. No por eso dejé la causa. Me uní a otros grupos. En una de las refriegas una bala me abrió la cara y me dejó esta cicatriz. También me machacaron la pierna, que nunca se curó del todo. Resistimos cuanto se pudo, hasta que la mayoría decidió entregarse a Varela en la estación Tehuelche. De todos modos los hizo ejecutar.

Juan Lago Liñeiro, que ya se daba por muerto, cumplió sin embargo los veintidós años en un prostíbulo de Puerto San Julián. Llegó un amanecer, sobre un caballo tan espantado como él. Cabalgaba de noche y se ocultaba de día, para protegerse de los fusiles perseguidores y del reflejo del sol despiadado sobre la estepa del Sur. Cayó redondo a la puerta de la casa de tolerancia y despertó, dos días después, en una cama con dosel, al lado de una mujer alta y robusta, envuelta en una espuma de gasa roja, que roncaba un poco.

—Era Maud. La inglesa. Me habían bañado, me habían hecho curaciones y envuelto las lastimaduras con vendajes. Me dieron ropa limpia, aunque usada. Quizá, de algún cliente. Lavado y afeitado, tenía cara de niño. Les dije quién era, de dónde venía huyendo. Se compadecieron de mí. Estuve dos meses con ellas. No me pedían nada, pero arreglé techos, goteras, pinté algunas paredes. Hasta que llegaron los soldados.

El tío Juan no me dirá qué hizo con la inglesa. Ni con ninguna otra de las cinco mujeres que convivían en La Catalana. Maud: grande, redonda, con pecas esparcidas sobre la piel de crema. ¿Habría sido ella el país hospitalario de leche y miel que se promete en la Biblia a los judíos errantes? ¿La tierra que Juan aún no había encontrado en el otro Finisterre de acantilados y tempestades?

Después de que todo terminó, cuando cazaron al último huelguista que todavía rondaba por los caminos y las estancias, los soldados llegaron a La Catalana, a cobrar su recompensa de carne. No podían creer que las putas se negaran a atenderlos. Ellas fueron, entre tantos que agachaban la cabeza, las únicas que la levantaron para llamarlos criminales.

Antes de que se las llevaran al calabozo junto con los músicos que animaban las veladas, Maud escondió al tío Juan en la barraca donde guardaban los caballos y un sulky. Le puso en las manos un hatillo con provisiones. "Cuando se vayan los milicos, te vas vos, lo más rápido que puedas. Por nosotras no te preocupes. No vamos a estar mucho tiempo presas. El comisario y el juez son buenos clientes". En la bolsa con viandas, Maud le dejó también un jabón perfumado. Un verdadero lujo para un fugitivo que se bañaba, si podía, en los helados ojos de agua de la estepa. El tío Juan había tocado muchas veces esa pastilla aromática, como si fuera un amuleto. La llevaba junto a la estampa de la Virgen del Carmen, patrona de Fisterra, que mi abuela se había empeñado en darle antes de partir. Aunque se consideraba ateo, terminó rezándoles a las dos, a Maud y a la Virgen, para que ambas lo protegieran, en el Cielo y en la Tierra.

—Tenía apuntada la dirección de un pariente lejano, en Bahía Blanca. Esa dirección me llevó a otra y luego a otra, en pueblos y ciudades distintas, hasta recalar aquí. Vi la esquina cuando estaba entrando. No esta esquina, sino un lugar apartado, en las afueras que daban al camino.

Allí había una tienda, un almacén de campo, mezquino y algo descuidado. Lo que llaman en este país "pulpería", como si vendieran pulpos, que por aquí ni se conocen. El almacén era de un viejo, un hombre curtido y oscuro que manejaba su negocio a la manera del tiempo antiguo. La pulpería servía caña a los parroquianos ocasionales a través de una reja. Los de confianza podían entrar, acodarse en el mostrador o sentarse en torno a dos o tres mesas donde jugaban a los naipes y a los dados. Había pocas mercaderías, lo imprescindible. Harina, yerba mate, azúcar, cortes de carne, aperos para las cabalgaduras, géneros y alguna ropa hecha. El tío Juan primero había pedido una caña al paso y, al ir a pagar, había rozado el jabón aún aromático, nunca desenvuelto de su papel de seda. Entonces supo lo que haría en América.

45

Trabajó en esa tienda y en otras. Durmió sobre los mostradores para ahorrarse el alojamiento. Se ocupó de fletes y de servicios varios, guardando peso sobre peso. No bien pudo reunir el dinero suficiente, le compró al viejo la pulpería de aquella esquina y le escribió a Consuelo, la muchacha de Ribadeo que lo esperaba en Buenos Aires, para pedirle matrimonio. Allí nació su primer almacén. El que luego sería, en un sitio mejor, el Almacén de Ramos Generales Juan Lago Liñeiro e Hijos. Donde hoy no hay hijos y donde yo estoy al frente de la caja como si fuera la niña que mi tío nunca tuvo y ocupo el lugar de los varones ausentes. Donde mi gratitud es una deuda tan grande que no sé qué decirle ni cómo ganar mi libertad.

En aquel almacén mi tío ofreció, por primera vez en ese rincón del planeta, un muestrario completo de jabones y perfumes de las mejores marcas a todas las olvidadas y anónimas heroínas de las pampas. Quizá como homenaje para una inglesa fragante de leche y miel y para todas las de su género que no habían querido acostarse con asesinos.

12

Desde hace días trabajamos a destajo. No damos abasto para descargar y exhibir los rollos de telas que llegan de la Capital. Y los paquetes de papel picado, las matracas, los antifaces, las bombitas de mal olor para los chascos y las botellas de agua florida y las bombas de estruendo, los petardos, los fuegos artificiales, las guirnaldas y las lámparas de colores.

Aunque las madres y las hijas mayores van preparando los trajes de máscaras durante todo el año, siempre hay imprevistos, urgencias, caprichos. Una hermana no quiere ponerse la cauda de Sirenita que ya no le cabe a su hermana mayor. Un niño se niega a ser gaitero asturiano y exige un traje de corsario inglés o sarraceno. Y hay reparaciones y extensiones y reemplazos de sectores desteñidos o deteriorados. Y cintas, botones, alamares, puntillas y lentejuelas que se piden para enriquecer los viejos disfraces o dar brillo a los nuevos.

No importa el calor que haga. En esos días de febrero no faltará quien salga vestido de esquimal o quien prefiera un miriñaque de dama antigua con muchas enaguas.

Nuestra reserva de abanicos, mantillas y peinetas está por agotarse. No es que imiten trajes españoles, sin embargo. La profesora Brey me muestra un libro con grabados y caricaturas. Algunas son de señoras argentinas de mediados del siglo XIX, que lucen peinetones tan grandes como barquillas. También hay una reproducción a color de un cuadro que está en Buenos Aires, en el Museo Nacional. Es el retrato a cuerpo entero de una mujer joven, enjoyada, vestida de terciopelo rojo, con un oscuro rizo de maja sobre la oreja. Robusta, de bellos hombros blancos y llenos y una cintura inverosímil a fuerza de corsé. La mirada viva y castaña acompaña con cierta ironía su media sonrisa.

—Doña Manuelita de Rosas y Ezcurra —me dice Carmen Brey—. Casi una princesa. O casi una reina, en esta república que siempre espera una.

No tengo tiempo para instruirme en historia argentina. Debo contestar todo tipo de consultas y atender reclamos. No solo de las madres que no dan tregua a sus máquinas de coser, sino de las niñas. Algunas, las más pequeñas o las más inocentes, se atreven a confesarme, al oído, que esperan volar de verdad con sus alas de ángel, de hada o de mariposa. Les aconsejo que no las pongan a prueba. Todo el mundo sabe, les digo, que las alas de tela solo pueden remontar vuelo con hechizos y que las hadas no venden los suyos a los almacenes, por buenos que sean. Pero que trataremos de conseguirlos como un favor especial, para el próximo año. Y apunto sus nombres y sus apellidos para advertir a sus madres que estén prevenidas contra el exceso de riesgo que trae consigo la fantasía.

Habrá desfile de carrozas en la avenida principal. Y la banda de música del municipio, y las bandas de las sociedades: los italianos, los vascos, los gallegos, y también catalanes y franceses, vascos o no. Y las murgas, que proclaman verdades insolentes con tambores y músicos de caras tiznadas.

—Aquí hubo negros —dice Carmen Brey—. Esclavos del África, que llegaban en las bodegas de los barcos. Inmigrantes a la fuerza, que pelearon en todas las guerras de sus amos con esperanzas de libertad. Ya no hay esclavos de esa clase. Pero nadie se acuerda de ellos, salvo en las fiestas escolares y en los Carnavales.

El almacén de Juan Lago Liñeiro pondrá una carroza. Uno de los camiones de reparto más grandes, engalanado con guirnaldas, con frutos de la tierra y con ristras de ajos para espantar al diablo. Dentro iremos todos. También Isolina y yo, aunque acabamos de salir del luto. Trinidad quiere vestirla con el traje tradicional gallego. De negro y rojo, con pañoleta y casquete, con jubón y saya y pequeños zuecos. Isolina protesta, dice que solo se pondrá ropas nuevas, que nadie ha visto nunca. Y que se las ha cosido Clémentine.

Trinidad reniega. Cree que los gallegos debemos enseñar quiénes somos y de dónde venimos. Como lo hacen aquí la mayoría de los inmigrantes y los hijos a quienes educan para que vuelvan un día a la tierra de donde esos hijos jamás partieron. Pero habla el tío Juan.

—Mujer, no hace falta ninguna que nos disfracemos de gallegos. ¿O alguien se puede disfrazar de lo que ya es?

Callo, porque no sé qué voy a ponerme. ¿Lo que mejor me muestre o lo que mejor me cubra? Debería primero, para eso, saber quién soy yo. Miro los trajes engalanados de los que bailarán en este Carnaval de las pampas. Y cantarán lo que son o lo que ya no son y dejaron atrás, porque una fuerza, por fuera pero también por dentro de ellos mismos, los empujaba a irse para completar lo que eran. Para seguir siendo, de la misma y de otra manera, en otra parte, y transformarse y mutar en algo quizá más rico y extraño.

Veo entrar a mi hermanita. Si es ella la que está debajo del velo gris oscuro que se le ajusta sobre la cara como una máscara de gasa. Si son suyos los brazos y todo cuanto asoma fuera de las ropas, cubierto con vendas de similar material. Aunque resulta dudoso considerar como ropas el rompecabezas de retazos múltiples que llega desde su cuello hasta los pies, en fragmentos multicolores de raso, de satén, de algodón, de paño.

Bajo un bonete alargado, similar al de un hada o una bruja, salen varios inequívocos mechones cobrizos de pelo natural que solo pueden pertenecer a Isolina, mezclados con hebras de lana blanca.

Trinidad se lleva las manos a la cabeza, mientras el tío Juan empieza a reírse con una risa desconocida: gozosa, desbocada, ligera como si volaran campanas.

—Pero, niña, ¿qué te has hecho? ¿Esa es la obra maestra de Clémentine? ¿De qué bicho te has vestido?

—No es un bicho, tío Juan.

—¿Pues qué eres? ¿Un duende, una bruja? Para *fada* pareces muy fea.

—Soy una *Senigual*.

—¿Una qué?

—Una *Senigual*. Una Sinigual.

—¿Y qué hacen las Siniguales?

—Son.

—¿Qué son?

—Siniguales. No se parecen a nadie, sino a ellas mismas.

—¿En qué libro las viste, en qué cuento?

—No están en los cuentos. Las vi en Fisterra. En las rocas, al lado del mar. Antes de que viniéramos a América.

—¿Ah, sí?

—Por eso me conformé con venir. Para volver a encontrarlas.

—¿Aquí?

—Son muy viajeras. Y muy pequeñas. Cabían en la palma de mi mano. Olían bien. A perfume de canela, a *filloas* recién hechas. Me calentaron la mano, que estaba helada. Me quitaron las penas. Pero se fueron, en una dorna que volaba. Y cruzaron el mar, en dirección de América. No saben que estoy aquí. América es tan grande. Si me visto como ellas, a lo mejor se enteran y vienen a buscarme.

El tío Juan se arrodilló, hasta alcanzar la altura de Isolina. Cuando la estrechó en los brazos se cayó el bonete y la melena roja y tupida se derramó sobre los hombros flacos de mi hermana.

—Tú eres la Sinigual, *a miña nena* —susurró—. Ya no hace falta que las busques más. Aquí no tendrás penas. Llegaste a casa.

13

52   Isolina va a la escuela. Al principio, en un curso inferior al que le correspondería por su edad, hasta que aprenda la geografía y la historia de la Argentina.

Yo misma la llevé el primer día. Necesitaba una mano que la acompañase y solo podía ser mi mano.

Aquí todos los alumnos usan sobre la ropa guardapolvos muy blancos, que las madres suelen almidonar. Trinidad se encargó de la tarea, a tal punto que el de Isolina parecía una armadura capaz de ponerse por sí sola en pie. Ni una hebra del pelo cobrizo y crespo se le escapaba de las trenzas bien apretadas. Sin embargo, no dejé de oír risas y murmullos a nuestro paso. "Zanahoria", "Más bien remolacha", "¿No es la que se disfrazó de bicho?", "¿De araña?", "No. De bruja".

Mi hermana es dura. Más de lo que parece. Más que yo. Siguió adelante sin desviar un segundo la mirada hasta el patio central donde la solté para que se sumara a las filas.

Todos cantaron el Himno Nacional. Desde los maestros hasta los niños, el coro escolar juró morir con gloria antes que resignar la libertad. Pero a veces la muerte no alcanza. Un millón de muertos no bastó para España. También nosotras lo cantamos. Habíamos estudiado la letra y la música para no parecer y quizá para no ser ya extranjeras. La formación compacta de los grados se dispersó, pero no las filas. Mantuve los ojos sobre Isolina hasta que desapareció en las escaleras, hacia el segundo piso. Me devolvió la mirada un momento, no para apoyarse en mí, sino para que yo no me sintiera sola.

En las aulas hay mapas del país que incluyen unas islas coloniales: las Malvinas, tomadas por los ingleses hace muchos años, algún tiempo después de que el país se declarase independiente, pero los manuales de estudio las siguen reclamando. También hay retratos, tan patrióticos como el mapa: son los de Perón, el presidente en ejercicio, y los de Eva Duarte, su mujer. O, mejor, los de Eva Duarte y su marido Perón, que preside la Argentina al otro lado de esa cara estelar, que parece hecha para los cielos de Hollywood.

Eva nos llevó el trigo a España. Y después de verla y oírla, aún más españoles se embarcaron, para comer ese trigo en un país de sol. Sin embargo, no la querían ni los ricos ni los vencidos. Unos, porque la consideraban una Cenicienta vestida de falsa princesa. Otros, porque los muertos duelen en todo el cuerpo y no hay trigo que los resucite y el pan no nos hace libres. Menos, todavía, el pan que mandan los amigos del vencedor.

Iba siempre precedida por un ondear de pañuelos y un mar de banderas, de palomas, de flores frescas que se lanzaban a su paso. Los niños estaban contentos porque se interrumpían las clases y los mayores, porque ninguna otra cosa teníamos para festejar. Todo era irreal y consolador y se pintaba de colores después de tanto duelo. Parecía un hada y una reina de cuento que llevaba en su carroza mágica los dones de la vida. Y nunca se deshacía el encanto y ella seguía entera, coronada y alhajada y vestida de tules después que daban las doce. Y no se desvanecía como una ilusión a la mañana siguiente. Quizá porque en España ella era la poderosa. No tenía ni necesitaba Príncipe Azul y el General Franco, invulnerable a cualquier hechizo, siguió siendo siempre un sapo al que miraba desde arriba.

Hasta Fisterra llegaron los periódicos con páginas enteras dedicadas a su gira por las principales ciudades. Se reproducían sus discursos y, sobre todo, sus fotos. En la taberna y en las despensas siempre había quien leía en voz alta, para todos los parroquianos, lo que Eva hacía y decía. Nunca faltaba quien jurase que tal o cual pariente la había visto de cerca en Buenos Aires, donde la gente se apretujaba para aclamarla, para tocar la orla de su vestido, como si fuera una santa experta en milagros.

Lo mismo y más hicieron en España. En los aeropuertos la esperaban por miles. La seguían por las carreteras, se amontonaban en las plazas, bajo los balcones de los edificios públicos en los que pronunciaba sus discursos. Esos momentos cortaban el duro tiempo cotidiano, hacían que el mundo gris se pareciera por un rato a las ciudades relucientes que surgen bajo el conjuro de la lámpara de Aladino.

Cuando salió de Compostela, Eva quiso que le enseñasen el cabo de Fisterra, a lo mejor para ver el fin del mundo tal como lo vieron los romanos antiguos y para mirarse ella en ese espejo temible de aguas revueltas. Después, en Vigo, en el puerto viejo de Berbés, les habló a sesenta mil pescadores y trabajadores de toda Galicia, que se habían reunido allí para recibirla y para pedirle que protegiese a los pescadores gallegos en la Argentina. Exaltó un país futuro con menos ricos y menos pobres, para todos los descamisados. "Vaya, padre, es la gente como nosotros, no hace falta que lo traduzca al idioma de los gabachos", le dijo Pepa, en la despensa, al cura que se empeñaba en compararlos con los *sans-culottes* de la Revolución Francesa.

Antes de irse le pidió a Franco por la vida de una comunista, madre de un niño, que iba a ser fusilada. Dicen que él no pudo más que aceptar, después de haber recibido el trigo. Eva no habló ni vio en persona a la mujer que había salvado, pero se fue de España como una extraña Reina Pasionaria, Dolores Ibárruri con capa de visón y vestido de cola. Qué hubiera pensado mi padre.

La retrataron arrodillada en reclinatorios de catedrales y monasterios, ofrendando sus pendientes de oro y brillantes a vírgenes desvalidas como muñecas. Entró a las Basílicas bajo palio, se hospedó en palacios y recibió la Gran Cruz de Isabel la Católica. También caminó en los barrios obreros y visitó los hospitales y les dijo a las mujeres del pueblo que todas eran ella o que ella era todas.

En uno de sus cuadernos Isolina dibujó una figurita dentro de una dorna. Se parece a la barca pesquera en miniatura que le regalaron a la primera dama cuando salió de Vigo. "Pero quién navega ahí", le insisto. "Es una Sinigual", dice mi hermana. "La última que vi con las otras, en Fisterra, antes de que volara la barca". Esta no tiene bonete, sino un sombrero ancho y redondo como las capelinas que le vimos a Eva, o el que usan en el campo nuestras paisanas. Debajo, la cabecita es una mancha dorada que alumbra el cielo tormentoso como un sol indeleble.

56

14

Señorita Celia. Así me saludan los clientes al entrar y al despedirse, mientras el timbre de la caja tintinea y los cajoncitos vuelven a su lugar. Visto de azul, de lila o de gris perla, colores serios y clásicos, un buen alivio del luto, dice Trinidad. Llevo las trenzas recogidas en un rodete con peinetas sembradas de minúsculas marquesitas. Cuando acaba la tarde y las lámparas van encendiéndose, se avivan como luciérnagas posadas de pronto sobre mi pelo. *Vagalumes*, ríe Isolina. "¡Parece que tienes luciérnagas en la cabeza!".

Al salir del negocio ya es el anochecer y el aire está suavemente frío. Nos adentramos en un otoño amable, fresco en las mañanas y en los atardeceres, hospitalario en los mediodías. Pronto empezará el invierno.

Estudio por las noches, sobre la mesa de la cocina, en los libros prestados por la señora Brey. Dice que estoy muy adelantada y que todo lo aprendo rápido. Me ayuda con los trámites para convalidar los cursos que aprobé en España y con los exámenes que necesito para terminar el secundario aquí. Podré ser maestra, como mi padre.

O traductora y profesora de idiomas, como ella. Podré ser abogada o escribir libros. Podré ser lo que quiera. Es tanta la fuerza con que pienso esto, al acostarme, que me quedo flotando por mucho rato en una intensa duermevela. Parece que salgo del cuerpo y que viajo a lugares desconocidos y veo, tiempo adelante, la persona en la que me convertiré. Alguien que saldará, por fin, las cuentas de todos. De mi padre, de mi madre, de mis abuelos. De los que quisieron tanto y no pudieron casi nada. También, las del tío Juan. Porque pudo, pero ¿pudo lo que quería realmente?

Yo abro el camino. Me seguirá Isolina.

Un invierno frío y también húmedo, con mañanas escar-
chadas, se prende a los huesos con una tenaza blanca.
Llueve, pero no nieva. No llueve tanto como en Galicia y
siempre hay días radiantes con un sol verdadero que despeja las brumas. No cuesta entender por qué la bandera
argentina lleva un sol en el medio.

Con el invierno aumentan las protestas de Trinidad. Se
queja de lumbago, de ataques de reumatismo, de crujidos en
las vértebras. A veces, en silencio, se refugia en un rincón,
medio tapada por las cortinas de macramé, y llora.

—Son cosas de las mujeres —murmura mi tío—. A
esa edad.

Esa edad parece ser la de las pérdidas. La palabra "nunca"
termina anteponiéndose a todas las imaginarias acciones
futuras. *Xa nunca terei fillos. Nunca verei aos meus pais. Nunca
voltarei á terra.* "Nunca volveré a ser joven". Eso piensa Trinidad, la incansable, empujada al ocio por su carga de penas.
Y solo yo veo sus pensamientos que no tienen remedio.

Otras personas se han agregado a la casa. Una de ellas,
Isidra, es una mujer de piel atezada, baja pero sólida, que

solo habla cuando le preguntan algo. Lava con aplicación ropa de cama y cortinas, suelos y vidrios, se arregla para cocinar lo que le pidan. Con ella vino Ignacia, una niña de la edad de Isolina. Desde nuestro dormitorio del primer piso, las veo todas las noches, mientras la madre destrenza y peina los cabellos largos y negros de la hija en un cuarto de la casa de enfrente, donde viven Trinidad y Braulio.

Llegaron hace poco, con dos hombres que se detuvieron una mañana frente al almacén. Eran fuertes, de espaldas anchas y estatura mediana, uno de pelo canoso con hebras todavía rubias, los ojos grises y una cicatriz vieja cruzándole la cara; el otro, joven y moreno, pero las diferencias no borraban un aire de familia. Bajaron de una camioneta con el barro de un largo viaje en los neumáticos.

Mi tío los conocía.

—Don Francisco, Antonio. Qué gusto verlos. ¿Toman algo? Tengo *oruxo* recién llegado de Padrón. Pronto vinieron, antes de lo que suponía.

—Trajimos un lote de caballos para vender y nos quedaba a la mano. Pero hay otro motivo: una conocida de la familia que necesita emplearse... ya mismo, y lo más lejos posible de su pueblo. Es una mujer honrada. Se las apaña con todas las labores domésticas. Lo ideal sería un lugar que le ofrezca también hospedaje. Como su negocio. Hay una cosa: viene con una hija, de diez años.

—Eso no sería problema. Se harán compañía con mi sobrina menor. Aquí hay sitio de sobra.

El tío me los presentó. Debí de haber puesto cara de sorpresa ante el apellido. El llamado Francisco me sonrió.

—Sé bastante de usted, señorita Celia. Mi hermana Carmen cree que no tiene mejor discípula.

No cabía en mí de felicidad, de orgullo. Hasta que Brey trajo desde la camioneta a la mujer y la nena. Ninguna de las dos levantaba los ojos del suelo. La madre tenía la cara hinchada y vendada en el pómulo derecho. Una larga mancha violácea sobresalía por encima del apósito.

La mujer alzó por fin la vista. Abrió su cartera de lana y le dio al tío unos papeles.

—Soy Isidra Cayuqueo. Mi hija se llama Ignacia. Es buena, y ayuda en todo. Quede tranquilo. Sé trabajar, no se va a arrepentir. Y muchas gracias.

El tío la miró de arriba abajo, con nubarrones de compasión y furia dentro de los ojos.

—Quede tranquila usted, señora. Aquí nadie les hará daño.

Fui a hablarle a Trinidad, que puso el grito en el cielo.

—¿Pero qué se ha creído ese hombre? ¿Es que me quiere echar y no se atreve a decírmelo en la cara? ¿Piensa que estoy inválida, que me he vuelto lela?

—La recomendó el hermano de la señora Brey, y vino con ellas en persona.

—¡Pues como si viniera el Papa!

Pero cuando aparecieron las dos en su cocina calló de inmediato.

Las dejé primero en la habitación reservada durante años para los niños que Trinidad y Braulio no recibieron nunca.

Trinidad me esperaba, acodada sobre la mesa.

—Esas dos ¿tienen algo más que las bolsas con sus pocos trapos?

—Yo no vi nada.

—No me extraña. Será lo único a que esa infeliz ha podido echar mano cuando escapaba del hijo de puta. El que la puso de esa manera.

La mesa relucía, pero empezó a restregar manchas imaginarias, con los dientes apretados.

—Haberme dicho. Si era ese el motivo, no seré yo quien le estorbe su derecho a ganarse el pan a una pobre desgraciada. Y con una hija pequeña. Pero tu tío, don Juan, es así. Primero decide, después pregunta. O no pregunta nada. Como ya está hecho... Menos mal que tiene buen corazón. En fin, de algo podrá ocuparse esta mujer. Siempre hace falta una ayuda.

16

Isidra no habla, Ignacia sí. No con cualquiera, sino con Isolina. Se han hecho amigas y, aunque a veces se enfadan, como todas las niñas, es mucho más el tiempo que pasan entretenidas. A las dos les gustan los insectos, las flores, las plantas. Las dos se han criado en el campo. Bisbisean, secretean, se cuentan historias. Se callan cuando intervengo demasiado. Ya soy mayor: la señorita Celia. Y como a todas las personas mayores, me juzgan incapaz de comprenderlas.

Cada mañana salen juntas para la escuela. A Ignacia la pusieron en el mismo curso que a Isolina: las dos van atrasadas por distintos motivos. Ser extranjero y ser argentino y pobre suelen pagar el mismo tributo. La escuela rural a la que asistió Ignacia, no siempre regularmente, califica por debajo de nuestra escuela urbana. Hacen una extraña pareja con sus trenzas disímiles –una roja, la otra color azabache– y sus guardapolvos impecables, de los que se encarga Isidra. Se sientan en las primeras filas del aula, porque Isolina es miope, y no pasan desapercibidas. Alguien empieza a llamarlas Hormiga Negra y Hormiga

Colorada, y los apodos se popularizan. Eso las une y también las aísla del resto, salvo de Miguelito Inchauspe, que –se lo pidan o no– las defiende a puñetazo limpio si las molestan fuera de la escuela. Una cadena de rumores llega a los oídos de Trinidad: hay quienes no ven muy adecuado que la sobrina del dueño de ramos generales tenga trato de igual a igual con una "cabecita negra" casi salvaje. Trinidad responde que la salvaje podría enseñar aseo y modales a muchos niños del pueblo.

Las dos resisten a dúo, progresan en los estudios. Luego de un tiempo la crueldad infantil cambia de dirección, porque hay un chico nuevo, tartamudo y con largas y flacas piernas de jirafa. Será un buen blanco hasta que, quizá, deje de tartamudear y eche más cuerpo.

Al tío Juan le parece bien que yo termine lo que dejé pendiente en España; me da horas libres, reemplazos en la caja. Ninguno de los dos habla de lo que pueda venir después.

Pronto me presentaré a la primera tanda de exámenes. Y a fin de año, a los que me falten. Por eso voy con frecuencia a casa de la señora Brey. Aprendo con ella. De los exámenes y de la vida. De la historia y las costumbres de esta tierra.

—No sabía que usted tuviese un hermano ni que se dedicase a criar caballos.

—Y tú me preguntarás cómo él cría caballos y yo idiomas.

—Ja. Algo así.

—No todo nos sale como lo planeamos. Mi hermano

iba a ser abogado, como mi padre. Pero de un día para otro, vino para América sin dar explicaciones.

—¿Por la guerra?

—No, todo sucedió unos cuantos años antes. Fue por un amor desgraciado, con quien menos debía. Por mucho tiempo, pensé que mi hermano había malogrado su destino. Sin embargo, viendo a España como la veo, creo que está mejor aquí.

—¿Por qué conoce a Isidra y a su hija?

—Porque él vivió entre los indios, en Los Toldos, por bastante tiempo. Su mujer, mi cuñada Sara, es de allí.

—¿Es india?

—Sí. Aunque también un poco blanca. Todos los naturales del país suelen tener algo de mestizos, de un lado y de otro.

—¿Naturales con la cabeza negra?

—Ya has oído como los llaman, ¿no?

—Cabecitas negras. O cabecitas.

—Es un pelo resistente. Mejor que el mío, siempre fue una pelusa que se deshilacha de nada. Desde hace tiempo mi hermano y su familia viven en Junín, aunque mantienen sus asuntos en el campo. Es una ciudad bastante grande, con buenas escuelas.

—¿Así dejan de ser cabecitas negras?

—Así tendrán más oportunidades. La escuela llena todas las cabezas por igual, de cosas útiles e inútiles. Algunas son como aviones, otras como muebles estropeados. Pero se supone que deben saberse para arreglarnos en este mundo.

Me mareo de solo pensar en todos los mundos: los que hubo antes, los que hay ahora, en el tiempo y en el espacio, los que vendrán después. Todos y cada uno de sus habitantes creyendo que el eje del universo pasa por ellos, que solo ellos aman, rezan, guerrean o dan a luz hijos de manera verdaderamente humana. Autopreservándose, recogiéndose sobre sí mismos como los paisajes en miniatura, encerrados dentro de un globo de cristal, donde cae, una y otra vez, la misma nieve. Sin embargo, los mundos chocan, erosionan, colisionan, se agrietan, se rompen. Y las tormentas los devastan y los suelos tiemblan. Se mezclan, con resultados imprevisibles.

—Ella también es de Los Toldos.

—¿Quién?

—Eva. Eva Duarte de Perón.

—¿No nació en Junín?

—No. En Los Toldos. Yo la conocí ahí cuando Eva tenía más o menos los años de tu hermana. Me crucé con ella mientras buscaba a Francisco. Alguna vez te contaré la historia.

Entra el doctor Phorner. Acaba de terminar su clase de Filosofía. Hoy tocaba Leibniz, con sus mónadas. La puerta principal queda entreabierta un rato mientras desde abajo suben los murmullos. A esa hora de la tarde, en que la gente sale de sus empleos, los cursos de idioma se llenan. Me asomo despacio al borde de la escalera que comunica los pisos y escucho el coro confuso y disonante. Alemán, francés, inglés, italiano. Todas esas lenguas se hablan aquí, no solo en este edificio sino en este país.

La señora Brey me llama. Tiene un sobre en la mano.

—Dáselo a tu tío. Acaba de mandármelo Francisco por correo. Le dices que el hombre retratado ahí con él está trabajando en su campo. Se llama o se hace llamar Ramón Olvera.

El tío Juan mira la foto de hito en hito, sin una palabra. Estudia, como si le aplicara una lupa, la cara que se ensancha en los pómulos, los ojos oscuros y vagamente tristes.

La vuelve a colocar en el sobre y guarda todo en un cajón del aparador. Tose. Se aclara la garganta.

—Cuando veas a la señora Brey, dile que gracias.

67

17

68   Hoy supe que se vendió nuestro hogar de Fisterra, la casa de mi abuela, madre de mi madre, la *Casa das Ánimas*.

Durante todo el día, desde que el tío Juan dio la noticia en el desayuno, no pude tragar un bocado más. Cada sonrisa dedicada a un cliente es un acto de forzada cortesía, un trámite obligatorio. Doy mal dos o tres vueltos, hago enviar un encargo a la persona equivocada. Antes de que el tío venga a pedirme cuenta de mis errores, dejo a una empleada en la caja, me encierro en el baño y lloro, mordiendo la toalla para amortiguar los quejidos.

Los ojos se me hinchan por más que me lave la cara. Parecen planetas ovales cruzados de ríos rojos. La nariz enrojece también, los poros se abren y se irritan. Me salen grandes manchas de rubor en el cuello y el escote. Toda la piel es el mapa de un desastre anunciado que acaba de ocurrir. Qué no daría por poder gritar hasta hartarme en donde nadie me oiga.

Golpean con cautela la puerta del baño. Preguntan por mí.

—No pasa nada, Trinidad. Es que estoy en esos días, ¿sabes? Me dio un mareo. Dile al tío que me recuesto un ratito y que ya bajo.

Cuando me aseguro de que ha ido a darle aviso, corro al dormitorio y me encierro con dos vueltas de llave. Todavía falta para que Isolina vuelva de la escuela. Oscurezco la habitación, me pongo una almohada encima de la cabeza, aúllo como un animal, con la boca hundida en el colchón. Cómo puedo estar así. Nadie ha obrado sin mi consentimiento. Era lo que había que hacer. Lo sensato, lo razonable. Aunque también al tío le corresponde una parte de la venta, nos la cede. El dinero quedará a nombre de Isolina y mío. Será solo nuestro, para lo que necesitemos aquí. Para nuestro futuro.

Pero cómo pudimos vender la *Casa das Ánimas*. Cómo pudo el tío Juan.

En esa casa nacieron todos los hermanos y también nosotras. Allí cerraron para siempre los ojos mi abuela y mi madre.

Y cómo no había de venderse si no hay nadie en ella. Si es una casa de muertos.

Parece tan obvio, tan natural, que mi rabia y mi pena me avergüenzan, como si fueran los sentimientos de una niña boba y caprichosa.

Pero ¿qué harán los nuevos habitantes con esos fantasmas en las noches más frías, cuando vayan a buscar el calor de la *lareira*? ¿Los espantarán cuando se refugien en las fallebas y en las junturas de las piedras para no ser arrastrados por el viento tempestuoso que llega del mar?

Otros muertos, no solo los nuestros, están adheridos a las paredes de la *Casa das Ánimas,* como si fueran líquenes. Porque a ella llegaron, durante décadas y quizá centurias, tanto más allá de lo que alcanza mi memoria, todos los pescadores malheridos que el mar devolvió a la costa. En la casa recibieron auxilio y muchos se despidieron de esta vida para volverse sombras y susurros, espejo de sus nombres pronunciados en la oscuridad, ecos de ecos aferrados al lugar de donde habían partido.

Por eso tantos deudos iban a rezarles allí, no al cementerio donde solo había cuerpos que se pudrieron. El *cruceiro* en el camino que conduce a la casa siempre tenía flores en el pie, o cintas, o algún mensaje guardado debajo de un cascote.

Desde muy niñas, rezábamos nosotras también por ellos, los conocidos o desconocidos, familiares o extraños que habían dejado sus ánimas penando. Rezábamos al lado del *cruceiro* y antes de dormir, o en la habitación de la abuela, cuando arreciaban las tormentas. Para que el mar no arrojara más muertos o agonizantes sobre la costa. Para que a los espectros aún atrapados en la red del tiempo humano ya no los atormentase el tronar de las aguas que los devolvían una y otra vez a su propio final.

Pero no es eso lo que me pasa. No es el dolor por los que permanecen, creciendo como plantas clandestinas y quizás extraviadas junto a las habitaciones de los vivos. Es terror. Por mí.

No tengo ya hogar a donde volver. No hay una habitación, un árbol, una piedra en toda Galicia a los que pueda llamar míos. Quemamos las naves. Quedamos del lado de afuera. Del otro lado del abismo, succionadas por el vacío. Nadie se acordará ya de nosotras en la *Casa das Ánimas,* nuestro nombre no se inscribirá en las lápidas del cementerio. Será como si nunca hubiésemos existido ahí.

18

72   Desde la venta de la casa volvieron las viejas pesadillas y otros sueños se sumaron. Mi abuela está frente a mí, muda. "Estoy aquí", me dice sin despegar los labios, "presa, como tú". Sin embargo, no puedo ver desde dónde me mira, desde qué tiempo o desde qué espacio, porque la rodea completamente la oscuridad.

Otras veces me despierto empapada en sudor, a pesar del frío invernal que recrudece por las noches. Un hombre sin cara me atrapa y yo escapo hacia la finca de Meirelles, pero el aire me falta como a un pez fuera del agua y abro de golpe los ojos y nunca sé si he logrado llegar.

Sueño eso, con variantes, desde hace años, en los momentos de angustia. Todo empezó después de una fiebre que me tuvo postrada más de un mes. Antes de esa fiebre hay un hueco. Una zanja cavada entre dos tiempos que no se conectan entre sí. De un lado, el fin de la escuela primaria, el verano donde todo florecía aun en medio de la tristeza por la enfermedad de mi padre, y mi prima Eulalia y su madre nos acompañaban.

Del otro lado está el comienzo del otoño, cuando me recuperé de la fiebre. Todo había cambiado para entonces. Mi padre estaba muerto. Mi madre y la abuela decidieron que iría a estudiar al internado en Santiago. Ya no teníamos la última de las fincas. La tía y mi prima no volvieron a Fisterra. Se mudaron, sin despedirse de mí, a un pueblo de las rías bajas y supe, meses después, que Eulalia estaba casada y que tenía un niño.

Entre esos dos lados de mi memoria corren aguas muy turbias y profundas.

19

74 Quizá porque el tío me ve distraída y desganada, organizó esta excursión para nosotras. Aunque también él parece ausente, con el alma en otra parte, desde que la señora Brey me diera el sobre con la foto. Hoy salimos muy temprano en tren hacia la Capital. Vamos cuatro: el tío Juan, Isolina, Ignacia y yo. Las niñas tienen sus vacaciones de invierno.

El viaje es largo, pero no incómodo. Esta vez no me queman, como a la llegada, las incertidumbres, la ansiedad por saber qué clase de hombre será, en persona, nuestro tío Juan Lago Liñeiro, cómo va a recibirnos, qué lugar ocuparemos en su vida y él en las nuestras. Ahora somos, por primera vez, casi turistas. Por fin podemos descubrir un paisaje.

En cada estación: las paradas en pueblos de campo, las ciudades pequeñas, se repiten los tejados y las columnas de hierro sobre los andenes, con un encaje de chapa en los bordes. Las puertas y ventanas de las oficinas se cierran con postigos de hierro en forma de persianas. A veces los techos son lisos; otras, se elevan como pagodas. La mayoría de las construcciones son modestas, pero las hay con tamaño y estructura de *petit hôtel*, como la de Ramos Mejía, con sus mansardas de castillo, hasta llegar a la terminal fastuosa llamada Once de Setiembre, donde por fin nos detenemos.

Ignacia es la más asombrada. No solo por las escalinatas de mármol rosa, las altas claraboyas, los cerámicos esmaltados, las hileras de oficinas que se suceden en el piso alto, sino por la multitud. También en la ciudad baja donde vivimos hay algunos edificios de gran alzada, pero de ninguno sale y entra esta torrentera hecha de cuerpos humanos, de bolsos, de portafolios, de pantalones y faldas y sombreros, donde la estatura de una niña siempre queda por debajo de la marea.

El tío nos invita a un desayuno por todo lo alto en La Perla del Once, un bar desde donde pueden verse más transeúntes y taxis y transportes públicos y la mole de la estación con un reloj enmarcado en el centro, coronado por estatuas alegóricas de la Agricultura. Comemos ensaimadas, medialunas y café con leche, chocolate con churros sobre manteles blancos. "Hay sitios mejores y los visitaremos", promete. "Pero no tenemos por qué seguir esperando después de tanto viaje. Y además", añade en voz apenas más baja, "aquí fue donde desayunamos cuando vinimos por primera vez a visitar Buenos Aires todos juntos: con la tía Consuelo, con vuestros primos Enrique y Luis".

Luego tomamos el subterráneo. El subte, que es como llaman en Buenos Aires al metro de España. Nunca había estado en uno. No los hay en Galicia, y jamás he ido a Madrid. No soy la única. Para muchos gallegos Madrid es hoy más lejana que Buenos Aires. Asusta un poco meterse bajo la tierra. Las dos niñas que llevo de la mano se remueven, inquietas, dentro de sus zapatos nuevos. Pero no hay nada que temer. Por el contrario, abajo está todo más iluminado que una confitería. Al llegar el tren, las puertas se abren solas y dejan paso a compartimientos confortables, con bancos de madera lustrosa y lámparas de techo que sacan más brillo a los asientos, a los marcos de las ventanas y de las puertas. Hay agarraderas para los que no consiguen sitio en los bancos cuando los vagones están muy llenos.

Bajamos en la estación Lima. A unos metros está el hotel donde nos hospedamos: el Castelar. Allí se alojó Federico García Lorca cuando se estrenó en esta ciudad su *Bodas de sangre*. La señora Brey estuvo en esa función, y también en la fiesta que luego dieron para él. No tuvo que ofrecerme ninguno de sus libros porque me los sé de memoria.

Recorremos la Avenida de Mayo, que está llena de bares. El tío conoce a muchos mozos. Trabajó en alguno de estos sitios antes de irse al Sur. Pero otros son amigos de amigos o de familiares, que se volvieron también amigos suyos. Puntos en la vasta red que se esparce por toda la Argentina y que se viene tendiendo hacia América desde los puertos gallegos hace muchas décadas. Estamos atrapados en su dibujo, como las partes de una gran constelación oculta.

En dos de los bares, el Iberia y el Español, nos cuenta el tío, se repitió en espejo menor nuestra Guerra Civil, con municiones de insultos, sifonazos y platillos de café y hasta mesas y sillas, que se arrojaron o se usaron como barricadas. Los republicanos desde el Iberia, los franquistas desde el Español. El tío saluda al dueño del Iberia, nos presenta, almorzamos. Sirven paella, que no es mala, pero no tan sabrosa como la de Trinidad. Las niñas toman natillas de postre. Los mayores, solo café con una copita de *oruxo*, aunque a mí se empeñan en querer darme anís o licor de huevo, que son, se supone, para señoritas.

—Nunca arriamos la bandera —les dice a los empleados el tío Juan.

Y es verdad. La bandera roja, amarilla y morada de la Segunda República Española está en el pequeño escritorio del tío, donde se refugia para leer o a veces para fumar, colgada de un mástil. Casi nadie la ve, salvo los de casa o los muy amigos. La bandera nos acompaña y nosotros la acompañamos a ella, que necesita ser protegida como una ilusión para que no se desvanezca.

—Nosotros tampoco. Ahí la tiene usted.

Combativos, la han puesto al lado de la caja, como una provocación. De cuando en cuando, dicen, alguno del otro bando se cuela en el bar y, como quien no quiere la cosa, la empuja hasta que cae del otro lado del mostrador.

—Pero siempre se levanta. No nos rendimos.

Vamos a conocer la Plaza del Congreso, frente al edificio con cúpula de catedral donde se hacen las leyes y que ocupa una manzana entera. Antes hay otras plazas menores, alineadas en la misma dirección, siempre patrocinadas o vigiladas por estatuas de alegorías o de próceres, ángeles laicos de un mundo ya sin fe en los antiguos ángeles de la guarda, que debían venir a protegernos de noche y de día contra todos los males.

Reconozco la figura de *El pensador*, de Rodin, vista en los libros. No recuerdo que existan esculturas de pensadoras, salvo alguna diosa, como Palas Atenea. En cambio sobran las de madres, con hijos a los pechos o sobre la falda, con niños de la mano, recogiendo espigas, yendo a alguna parte. Esas mujeres han estado siempre demasiado ocupadas como para sentarse a pensar con la cabeza sobre el puño.

En la Plaza del Congreso venden barquillos y maníes calientes bañados en azúcar. También bolsitas de maíz o de otro grano, que se dan de comer a las palomas. Anidan en los árboles o en los muchos relieves, salientes y balcones de los edificios. Llegan y se van en amplias bandadas, sin un ápice de miedo a los humanos. Las niñas se divierten y gastan en seguida los maíces, viéndolas tan glotonas y tan mansas. El tío estudia el espacio. Se sienta en uno de los bancos.

—Aquí era —dice—. Aquí fue donde nos sentamos Consuelo y yo, para mirar cómo corrían los niños. A Luis se le rompió el paquete y se esparcieron todos los granos. *As pombiñas*, las palomas, venían a comerlos a sus pies.

Y el relato se detiene, de golpe, y la voz se le quiebra.

Hay mucho que observar y que oír a ras de suelo. Pero, tal como sucede a campo abierto, el cielo es lo mejor. Está lleno de cúpulas, de ventanas en forma de ojos, de bronces y de vidrios que enmarcan las miradas y los cuerpos de sus lejanos habitantes, para nosotros invisibles.

El último paseo nos lleva a las Tiendas Harrods. No hay otras en el mundo, salvo en Londres, el sitio en que la empresa se fundó. Debe de ser el almacén de ramos generales más lujoso del planeta, solo se ofrecen refinadas maravillas. Hasta los papeles de envoltorio, los bolsos verdes con sus moños rojos de ribetes dorados, son por sí mismos un regalo. El tío Juan habla con los jefes de los departamentos de ropa de confección, acumula figurines y propagandas para nuestra tienda. No pretenderíamos rivalizar con los modelos europeos, pero sí copiar o adaptar las confecciones para las señoras que no dominan el arte de cortar y coser y que no pueden pagar los originales. Las vidrieras ponen por lo menos la mitad del atractivo. Son pequeñas obras de teatro inmóviles, donde los acontecimientos están a punto de suceder y los maniquíes parecen próximos a tocar al espectador e inclinarse hasta su oído para hacerle confidencias.

Las niñas desaparecen en la sección de juguetes que pueblan muñecas de tamaño natural, como si fueran otras nenas vestidas de paseo, esperando a las visitantes. Hay ejércitos y trenes en miniatura, tiovivos con caballos adornados que podrían ocupar un cuarto entero. Yo voy a la librería: otro decorado encantador con libros de todos los formatos en estantes de roble.

El lunes, ya de vuelta, Ignacia e Isolina dibujan sobre los cuadernos una Buenos Aires fabulosa. Todo lo mezclan:

las palomas del Congreso con los cóndores, las águilas, los hipopótamos y los elefantes del Jardín Zoológico; el pastel rosado de la Casa de Gobierno con el frente renacentista español del Teatro Cervantes, las torres de masas finas sobre las mesitas de mármol de la Confitería del Molino con la fachada francesa del palacio de *La Prensa* y el sencillo Cabildo colonial. No importan las explicaciones de los folletos y de las postales: ellas dos arman a su modo otra ciudad en la que todo lo extraño se vuelve familiar y cada parte se hace con diversidades.

Tenemos una habitante más en la casa, fruto de la expedición a Harrods de Isolina y de Ignacia. Parece viva, aunque es de porcelana. Como los seres humanos, la muñeca muda de ropa y de lugares. Isidra y Clémentine, auxiliadas por las niñas, le cortan y cosen prendas variadas que reemplazan la falda escocesa y la blusa de su vestimenta original. Un día amanece con bata de cola y mantilla; otro, con pantalones de exploradora. O lleva el chamal negro y la faja de colores de las naturales de la tierra, que Isidra le tejió. Es una y es muchas. También nosotras aprendemos, igual que ella, a despertarnos cada vez en un traje diferente.

20

El mar. La mar.　　　　　　　　　　　　　　**81**
El mar. ¡Sólo la mar!
¿Por qué me trajiste, padre,
a la ciudad?
¿Por qué me desenterraste
del mar?

Los versos de Rafael Alberti me dan vueltas en la cabeza todo el día. Estamos lejos del mar. En algún momento aborrecí ese mar, esa villa. Incluso me resentí con los que siguieron allí sus vidas mientras las nuestras se extrañaban de su origen. Hoy los pienso con nostalgia, con *morriña*, y abro el cajón donde se acumulan las cartas sin contestar de Encarna e Isabel.

Encarna continúa en nuestra villa del fin del mundo. Trabaja con la familia, que vive de la pesca y de dos o tres fincas. Está con el mismo novio, el de la marina mercante. *Lleva muchos meses de viaje, tantos, que temo no reconocerle cuando nos volvamos a encontrar. Pero necesitamos el dinero. Otras veces pienso que no volverá nunca. Que se quedará en alguno de esos países donde hay porvenir. En Escandinavia, en Estados Unidos, en la Argentina. Tendrá otra mujer, hijos que hablen en otras lenguas y yo estaré aquí. Siempre en el mismo lugar, haciéndome vieja.*

Isabel me escribe desde Vigo. Desde que terminó el internado trabaja como secretaria en una compañía naviera. Hace cursos de inglés. Piensa ella misma en emigrar. *No me pagan mucho. Pero ¿a quién pagan hoy? Los que ganan como para comprar pan de trigo lo guardan bajo llave. No creas que cambiaron tanto las cosas desde que la Eva vino por aquí. No pierdo la esperanza de salir mientras todavía soy joven. Gracias al trabajo puedo conocer americanos. Algunos me gustan, pero no van en serio. Tendrá que llegar el que sea para mí, el que se comprometa conmigo. Entonces, como tú, me iré a otro mundo.*

Las dos preguntan si el tío se ocupa de nosotras, si pude terminar los estudios, si tengo novio, si me salieron pretendientes. Quizá por eso me demoro en responderles. Claro que no tengo novio, y como estoy en edad, nadie se explica por qué. Ni siquiera yo. Sobre todo yo.

Los hombres me dan miedo. Lo escribo para mí. Lo digo en voz baja porque no me atrevo a decirlo ante nadie en alta voz. Me dan miedo los hombres sin cara que vuelven en mis sueños desde que salí de la fiebre. Pero también todos los otros, porque cualquiera puede hacerme daño. Ser la máscara de aquellos que me buscan en las pesadillas.

Por eso siempre desvié la vista bajo todas las miradas, ignoré los guijarros que rozaban la ventana en la habitación del internado. Dejé sin contestar los mensajes deslizados en el bolsillo, o entregados en secreto por un muchacho que ahuecaba la palma de su mano para ofrecerme en ella el agua bendita a la entrada de misa. Todos daban lo mismo. A veces las madres de mis condiscípulas me ponían de ejemplo: por lo aplicada, por lo responsable, por lo seria. Por fin una que no perdía la cabeza con tonterías, que sacaba provecho de los estudios, que haría las cosas a su debido tiempo. Una hija ejemplar que incluso se sacrificaba para atender a su madre enferma.

Pero todo se ha cumplido. Estoy terminando el curso que tuve que dejar pendiente. Mi madre no está enferma sino muerta. Isolina ya no depende solo de mí. Es mi turno. Mi momento.

Empiezo a contestar las cartas, sin creerme yo misma lo que estoy escribiendo. *Aprobé la mayor parte de los exámenes que me faltan para concluir el secundario y pronto daré el resto. No tengo todavía novio, pero sí me salió un pretendiente, aunque no le hago mucho caso. Es guapo, y dicen que muy trabajador. Se llama Fernando Inchauspe. Su familia se dedica a la ganadería. Son buenos clientes del tío Juan.*

Les cuento a las dos de mi trabajo en el almacén. Les escribo sobre la señora Brey, el Instituto, los libros. La visita a Buenos Aires, las Tiendas Harrods, la Avenida de Mayo. Les digo que por momentos el sol, las novedades, la abundancia, la curiosidad, me hacen feliz. Pero que la mar está lejos, muy lejos de la pampa verde.

Se me anuda la garganta y me trago las lágrimas y quedan inconclusas, en espera de mejor momento, las cartas que empecé.

Decido aceptar la invitación de Fernando Inchauspe para que lo acompañe en la romería de los españoles, que se celebrará muy pronto.

21

Aquí la romería no es la fiesta de una aldea ni la conme-
moración de un santo o una santa. Es el encuentro donde
los españoles nos reconocemos, y donde nos reconocen.
Los grupos musicales y las orquestas no dan abasto con
las piezas que han preparado y con las que les piden.

Aquí, diría el tío Juan, nos disfrazamos de nosotros
mismos o de lo que creemos que somos. O de lo que que-
remos que los demás piensen que somos. Las alumnas y
los alumnos de las academias que enseñan nuestros bailes
lucen lo que han aprendido, con sus trajes tradicionales.
Sus madres muestran los vestidos elegantes de seda, de
gasa o de satén que cortaron y cosieron ellas mismas, o
que mandaron traer de Buenos Aires. Se envuelven en
chales cuando oscurece, porque la primavera es fresca.
Bailan. Algunas pesadamente, otras con sutileza, rozando
apenas el suelo bien apisonado con los tacos. Las hijas en
edad de merecer buscan novio, seleccionan candidatos.
Por deseo propio, o porque todas lo hacen y no quieren
quedarse fuera del grupo, fuera de la manada. Hasta yo
estoy dejándome escoltar por el mayor de los hermanos

Inchauspe. Todavía no significa nada, salvo agrado mutuo, y que esta noche será mi preferido compañero de baile.

Bajo las carpas que coronan las banderas celestes y blancas, rojas y doradas, se arman largas mesas, con tablones y caballetes, cubiertas por manteles de papel. Los mayores brindamos con vinos y sidra helada, y los pequeños, con refrescos: naranjín, granadina, sodas. Las bandejas desbordan de especialidades: tortilla, paella, *polbo a feira*, cazuela, empanada gallega, gazpacho de Andalucía, chistorra de Navarra. Los olores y los sabores se mezclan con la música para consolar a los melancólicos y decidir a los dubitativos. Nos convencen a todos de que tuvimos razón al dejar lo que dejamos, al estar donde estamos. Nos muestran, con pruebas al canto, que todo valió la pena.

Fernando Inchauspe, nacido en esta pampa, no conoció otra cosa que esto: el buen trabajo, el trabajo de la paz, que llena la mesa en una tierra que florece, donde la violencia de la historia se percibe amortiguada y distante como si hubiera sucedido en un pasado remoto.

Aquí, en la fiesta, las armas son solo un juguete. Sirven para ganar premios en los kioscos de tiro al blanco, como la pelota de colores que Fernando le ofrece a Isolina y la caja de música de la que sale una bailarina de porcelana cuando se le da cuerda. La acciona ante nuestros ojos y la figurita nacarada y rosa gira al compás sobre la punta de un solo pie. Todo queda en las manos de mi hermana y de Ignacia cuando Fernando me saca a bailar un pasodoble.

Así, sucede:

Los focos eléctricos de colores dispuestos en forma de guirnaldas alrededor de la pista empiezan a titilar. Tiemblan, guiñan, cambian de sitio, como linternas que buscan una presa en medio del bosque. La mano de Fernando que acaba de tomarme de la cintura no es una mano. Es una garra que mancha y daña todo lo que toca. Fernando no es Fernando. Los ojos claros, con finas estrías doradas, enrojecen de furia, los ángulos de la cara se desacomodan levemente y encajan en otra cara parecida, que veo en sueños. Sé lo que va a venir. En cualquier momento aparecerá por detrás de su hombro el compañero de cacería, el que atrapó a mi prima Eulalia. La oigo gritar y grito yo también. Nadie me responde. Tengo apenas unos segundos para decidirme a correr. Empujo a Fernando, o al ser de pesadilla en el que se ha convertido, y escapo, llevándome todo por delante. *Tomo un atajo que conozco bien, hacia la finca de Meirelles, sorteando los obstáculos, resbalándome a veces, pinchándome con las espinas del tojo, buscando el lugar donde el muro se hace bajo y estaré a salvo.*

Cuando recupero la conciencia tardo en comprender dónde me encuentro. Es la mañana, pero no sé de qué tiempo, de qué país. Hasta que veo a Trinidad sentada a mi lado, haciendo crochet. Quiero levantarme pero me mareo y caigo hacia atrás. Dice que pasé dos días en un sopor turbio del que solo me despertaba a medias para hablar incoherencias.

—Quédate tranquila, niña —me reprende—. Ya le aviso a don Juan que abriste los ojos y te traigo algo de comer.

Toda la luz de la mañana entra en el cuarto y en mí.

Entiendo que la pesadilla repetida durante años no es solo un sueño ni tampoco el temor por lo que aún no ha llegado. Es un recuerdo.

Una memoria que se pudrió y fermentó, sin ser reconocida. Una llaga con pus que fue creciendo en lo profundo, muy por debajo de la piel, hasta explotar.

El tío Juan está en el umbral. Sonríe primero. Luego se acerca y me abraza.

—Qué alegría verte despierta.

—Ya lo sé todo.

—¿Qué es todo, hija?

—Lo que pasó esa noche, después de la romería de la Virgen del Carmen. Cuando Eulalia y yo volvíamos a la *Casa das Ánimas*. Fueron los hijos de Lema. Empezaron a molestar a las mujeres. Sobre todo a nosotras, porque nuestros padres eran rojos y estaban presos. Nos insultaron y Eulalia les contestó. A ella se la llevaron mientras yo corría.

No sigo hablando. Caigo dentro de mí, voy por un pasillo oscuro en el que las luces van encendiéndose una por una, como explosiones silenciosas. Por fin, lo digo. No, más bien lo confieso, como si fuera una criminal.

—Yo me escapé. ¡¡¡Yo sí llegué a lo de Meirelles!!!

—Y cómo agradecieron tu madre y tu abuela que pudieras llegar. El viejo Meirelles te llevó el día siguiente a la *Casa das Ánimas*, a escondidas, no bien clareaba. Estabas delirando, con fiebre alta.

—¡Pero dejé a Eulalia! La dejé. Me salvé sola.

Y grito, y las lágrimas me ahogan.

—¿Crees que hubiera sido mejor si te arrastraban con ella? ¿Es que hubieras podido hacer algo? ¡Si eras una criatura no mayor que Isolina!

—Todos sabían lo que pasó. Hasta usted, tío, desde aquí. Menos yo.

—El médico dijo que no te lo mentasen si tú no lo recordabas.

—Y nadie quería acordarse.

—Quién lo querría, cuando nada puede hacerse. Cuando no hay justicia que te escuche ni derechos que defender.

Por primera vez en tanto tiempo tengo piedad de mí. Y también de ellas: mi madre, mi abuela. Muertas de miedo, ocultándose y ocultándome. Clavando puertas y ventanas sobre la vergüenza de Eulalia, sobre mi propio terror. Protegiéndome de un futuro que para nosotras siempre iba a empeorar.

Ese futuro dejó de existir y tengo otro. Me haré otro. Si por el camino de las noches aparecen fantasmas, no serán esos. Volveré a la *Casa das Ánimas*, pero sabré quién soy. Ya no viviré huyendo. Me perdonaré. Estaré de pie frente a la que quiero ser.

22

—Así es la vida —dice Trinidad—. No ganamos para sustos. Ni dos meses de paz y ya estamos otra vez sufriendo. "Tenemos que irnos. Pero no nos busquen ahora. Esperen. Vamos a volver". La letra de la nota, escrita en la libreta de dibujo, es de Isolina. La firman las dos: Ignacia y ella.

Trinidad mueve cielo y tierra. Interroga a los clientes, a las compañeras de escuela, a las maestras. Se enfada conmigo.

—¿Es que tú no te diste cuenta de que estaba rara? ¿No notaste nada? ¿Cómo no te lo dijo? ¿No te lo cuenta todo?

No. No me lo cuenta todo. Isolina está haciéndose mayor. O tal vez no tiene demasiada confianza en una hermana desequilibrada que se desmaya en la gran romería del año después de montarle un escándalo al irreprochable Fernando Inchauspe, más bueno que un pedazo de pan. Yo tampoco se lo he contado todo, aunque debiera. Porque no tenía más años que Isolina cuando pasó lo que me pasó. Y porque a lo mejor ya lo habrá oído de otras voces, que mezclan y confunden.

La familia Inchauspe, no ya solo Fernando, se interesó por mi salud, y un gran ramo de flores perfumó mi cuarto por varios días. Pero aún no hemos hablado. La gente me trata con simpatía compasiva y también con algo de aprensión, como si fuera una bomba antojadiza capaz de explotar en cualquier momento. A veces siento que llevo un cartel sobre la cabeza. Un letrero feo y grande que tapa las lucecitas de mis *vagalumes* y que dice con grandes caracteres, un poco torcidos, "VÍCTIMA DE LA GUERRA".

El tío Juan dio aviso a la policía por las niñas, pero no le hicieron mucho caso. "No fueron secuestradas", le contestaron. "¿No les dejaron un mensaje?". "El mensaje no es prueba", dijo el tío. "Pudo haber sido escrito bajo amenaza". "Es que las niñas suelen hacer esas cosas cuando se pelean con su familia, o se escapan para no dar los exámenes, o quieren llamar la atención", insisten ellos.

Las dos son buenas alumnas. Acaban de concluir el curso con las mejores calificaciones. No están disgustadas con nosotros. Casi tres días pasan sin noticias. Por fin, la policía se pone en marcha, o eso le aseguran al tío. A todo esto, Isidra, casi muda desde que se fueron, pide hablar con él. Deliberan un rato, en el escritorio. Cuando salen, mi tío ya ha tomado una decisión.

Partimos la mañana siguiente hacia Los Toldos, el lugar de donde Ignacia e Isidra vinieron. La señora Brey y su sobrino nos acompañan. Nosotros, los más jóvenes, ocupamos los asientos traseros de la camioneta.

Gustavo acaba de terminar la carrera de Medicina, me dice. Tampoco es nacido aquí, sino en Alemania.

De allá le viene ese dejo del acento, ya suave como la sombra de un recuerdo en el habla. Tenemos otras cosas en común: los dos somos huérfanos y vivimos con tíos que nos hacen de padres.

—Papá y el tío Ulrich se conocían desde el *gymnasium* —cuenta.

No hubo en el mundo mejores amigos. Luego siguieron juntos la universidad, los dos estudiaron Filosofía e Historia. Terminaron siendo parientes, porque el futuro padre de Gustavo se enamoró de la prima hermana de Ulrich. Se casaron, aunque no del todo a gusto de las dos familias: los Phorner eran católicos; los Helmer, judíos.

—¿Fueron felices? —le pregunto, como una lectora de novela rosa.

—Ellos creo que sí. Las familias terminaron por conformarse. Tenían sus tradiciones, pero sin mucho fanatismo. Los Helmer eran más bien liberales, algunos religiosos, otros no. Los Phorner ya se habían matado lo suficiente con los protestantes en épocas pasadas. No querían más líos por cuestiones de fe.

—¿Y tú qué eres?

Gustavo me sonríe.

—El hijo de mis padres. Me gustan las diferencias. Pero no soy creyente. Y supongo que Dios, si existe, tampoco.

—¿Ah, no?

—Debe de tener muchas dudas sobre su propia inteligencia y su buen juicio cuando mira los desastres que ha hecho la humanidad. Gran parte de ellos en su nombre. Quizá no fue una de sus mejores ideas la de inventarnos.

Gustavo salió de Alemania terminada apenas la escuela primaria. Un pariente lo llevó primero a Francia y lo puso en el barco que lo depositó en Buenos Aires, en las manos seguras de Ulrich von Phorner y de Carmen Brey.

—Apenas dos años antes podíamos habernos salvado juntos. Mi madre lo vio claro primero y convenció a papá para que me mandara a mí a la Argentina. Pero él aún no quería dejar el país. Como muchos, no creía en lo que empezaba a pasar; pensaba que era una especie de alucinación colectiva y que iba a terminar muy pronto. Hasta que lo expulsaron de su puesto en la universidad, se aprobaron las leyes raciales y luego estalló la guerra. Ya no hubo remedio.

Volvemos a las nenas. Gustavo me pregunta por su carácter, sus costumbres, sus amistades. Pide que le hable de Ignacia y de Isidra.

—Están huyendo. Mejor dicho, Ignacia está huyendo. Tu hermana la protege. Ella fue quien escribió la nota.

—Pero ¿de qué escapa Ignacia?

—De lo mismo que las forzó a ella y a su madre a buscar asilo en la casa de Francisco y después en la de tu tío. Sé lo que es huir. Conozco bien los síntomas.

Yo también lo sé.

Recuerdo la cara golpeada de Isidra. La humillación, el miedo. El silencio prolongado de las dos.

—¿Cómo se explica, entonces, que las busquemos en el mismo lugar del que se fueron?

—Porque ahí debe de estar la respuesta.

Llegamos primero a lo de Francisco, en Junín. Nos esperan con la mesa tendida y el almuerzo caliente, en una casa de techos altos y balcones, llena de patios y de puertas. El hijo mayor, casado, vive cerca. El menor, agrotécnico, todavía está con ellos y es soltero. Los dos se quedan a comer. Se discute de compras de tierras y de máquinas agrícolas, de buenos créditos del Banco Nación, de precios de granos y de ganado que empiezan, sin embargo, a no compensar el trabajo y las deudas.

La cuñada de Carmen Brey se llama Sara. Peina algunas canas, apenas estrías en el pelo oscuro, recogido con una hebilla de plata. Me abraza, me dice que Ignacia le escribe a menudo. Que nos retrata en sus dibujos. Que le mandó un cuaderno ilustrado sobre la visita a Buenos Aires. Que en nuestra casa encontró su lugar.

Sin embargo, las nenas se fueron y tampoco golpearon a la puerta de Francisco Brey. En Junín no las han visto. Pero pueden estar cerca. En Los Toldos viven muchos parientes de Isidra. Pocos en el pueblo, muchos más en La Tapera de Díaz, en la zona que llaman "La Tribu", donde el jefe indio Ignacio Coliqueo se instaló en el siglo pasado con su pueblo. Allí nació Sara Coliqueo, la esposa de Francisco Brey.

Cuando estamos por salir lo oigo hablar con mi tío.

"El que se va sin que lo echen vuelve sin que lo llamen", dice el tío Juan. "¿Y usted quiere que vuelva?", le contesta Brey. "¿Qué más da lo que yo quiera? Él sabrá lo que tiene que hacer. ¿Le va bien aquí?", "Pues no se queja", responde Francisco.

El tío calla al notarme cerca. Me fastidio. ¿Tienen esos murmullos algo que ver con la foto que Carmen me dio para él un día? ¿De quién hablan? ¿Del que se llama o se hace llamar Ramón Olvera? ¿Por qué soy una ignorante portadora de secretos?

Nos vamos derecho hacia "La Tribu". Una vez llegados nos dividiremos el terreno. Hay un extenso mapa de parientes que viven distribuidos en pequeñas chacras. Echamos a suertes los lugares de pesquisa. Me toca ir con Gustavo hacia un puñado de ranchos al lado de un monte espeso.

23

96 Por el camino vamos cruzándonos con algunos jinetes aislados, que pasan de largo sin detenerse. Son hombres morenos, con chambergos, o el pelo atado por una vincha tejida.

Una mujer joven avanza despacio en nuestra dirección. Al acercarse, vemos que lleva a un bebé en una especie de cuna hecha de ramas y tientos, cargada a la espalda. Se resigna a hablarnos. Con la criatura no puede apurarse demasiado y la alcanzaríamos enseguida.

Gustavo se quita la gorra para saludarla. Le pregunta si pasaron por el lugar dos niñas con ropa de "puebleras".

—¿Usted es pariente? —retruca ella, y le mira la cabeza.

Las ha visto, sin duda. Con matices más atenuados, Gustavo es pelirrojo como Isolina. Astuto, él se adelanta a responderle.

—Una es mi hermana. La otra es su amiga, y tiene familiares por acá.

La mujer nos mira de arriba abajo. Decide darnos crédito.

—Sigan derecho hasta que encuentren un ombú, muy grande, muy viejo. Si doblan a la izquierda van a llegar a una casa de material, con paredes encaladas y el techo de chapa roja. Golpeen y pregunten por doña María. Si no está, la esperan. A veces tiene que salir de urgencia, es la *machi*. La médica. Ella les va a decir.

La casa es de mediano tamaño, prolija. La rodea un cerco de espinillos, mechado con flores. Detrás del cerco nos ladran dos perros flacos, que pastorean un hato de gallinas. Nadie contesta. Esperamos un buen rato, sentados sobre un tronco caído. Los perros terminan por callarse, acostumbrados a nosotros.

Gustavo me mira de reojo, indeciso. Amaga iniciar una frase varias veces, hasta que habla.

—¿Volverías a tu tierra?

—No tengo a dónde volver. Se vendió la *Casa das Ánimas*.

—¿Perdón? ¿Qué ánimas?

—Así le decían a la casa de mi abuela, donde vivíamos. Porque muchos náufragos, pescadores y marineros heridos fueron a parar ahí. Desde hace mucho tiempo, siglos tal vez, las mujeres de mi familia los cuidaron y los curaron. Unos se sanaban, otros terminaban muriendo. Pero algunas almas no querían irse. Se enredaban en las paredes exteriores y a veces brillaban por las noches, como pedacitos de mica.

—¿Las viste? —me sonríe.

—Estaba demasiado cerca. Metida adentro. Esas cosas solo se aprecian a la distancia.

—Sí. Yo también veo cosas que no veía, ahora que estoy tan lejos.

Gustavo se levanta de golpe, alertado, parece, por un rumor de cascos. Una mancha sonora se convierte en un caballo y luego en un sulky, donde flota la nube de un pañuelo azul. Debajo de ella hay una mujer de trenzas grises, vestida de negro.

La viejita menuda que baja con agilidad, sin aceptar la mano que Gustavo le alarga, hubiera podido ser mi abuela unos años atrás.

—¿Doña María?

—Así me llaman. ¿Qué se les ofrece?

—Buscamos a dos nenas. Nos dijeron que usted podía saber algo.

Nos estudia, pero no responde nada. Nos invita a pasar. Hay una cocina económica, a leña, donde pone la pava para el mate. Sobre la mesa de la cocina, un mantel de hule floreado. De esos que se pegan a los brazos cuando están desnudos.

—¿Por qué las buscan? —me pregunta, mientras le brinda a Gustavo el primer mate.

Él sorbe hasta el fondo por la bombilla, con decisión, quizá sin gusto. No recuerdo haber visto una calabacita de mate en la casa de Carmen.

—Se fueron de casa y no sabemos por qué. Tenemos miedo de que les haya pasado algo.

—Pero eran ellas las que estaban con miedo. O no se hubieran ido.

—No tenían miedo de nosotros.

—¿De quién, entonces?

—¿Usted no lo sabe?

El aire del cuarto es denso, sazonado por fuertes aromas de hierbas. Gustavo fija la vista en unas cortinas rústicas, que dan hacia otro ambiente, al lado de la cocina de leña.

—¿Puedo abrir ahí?

—Abrí nomás.

Doña María lo sigue con los ojos. Y yo lo sigo a él. Cuando Gustavo levanta el cortinaje se entra en una habitación pequeña. Sacos de tela cerrados con cordones cuelgan de las paredes. De ellos vienen los olores que se mezclan y equilibran como las voces de un coro.

—¿Con esto cura? —pregunta Gustavo.

—Con esto y con el canto.

Y doña María señala un tamboril con un palillo, que pende de otro clavo.

—¿Querés aprender?

—Dicen que ya aprendí. Por lo menos, eso está escrito en un diploma. Pero los diplomas no curan solos.

—No. Hay que saber cantar. Dame las manos.

Ella las palpa. Recorre cada una de las líneas. Se detiene en una cicatriz transversal que le cruza la derecha. Mide la longitud de los dedos, la flexibilidad de las articulaciones. Lo toma de esa mano y lo vuelve a llevar a la cocina.

Se sientan en banquetas, enfrentados. Doña María no suelta a Gustavo.

—Esta cicatriz la tenés en la piel, pero también muy adentro, en el *piuque*, en el corazón. Eras chico cuando te la hiciste. Te escapabas. Estabas cruzando una frontera. Las púas del alambrado se te clavaron en la mano y te la abrieron. Sanó después. Pero cada vez que la mirás aparece la cara de un hombre que no volviste a ver. Que no pudo escapar. Y pensás que esa mano, aunque cure a muchas personas, nunca lo va a salvar a él.

Los ojos de Gustavo, muy abiertos, ya no se fijan en la mujer vieja que le habla. Se van agrietando como un cristal que se triza. Se dan vuelta hacia un punto intangible del tiempo y del espacio donde quizás él mismo sigue retenido, junto con el padre muerto, detrás de otro alambrado que no logró cruzar.

—¿Qué dice? ¿Cómo lo sabe?

—Tengo mi propia cicatriz. Dejé a mi madre y a mi hermano menor en el camino, cuando llegó el malón del general Roca. Ella me empujó hacia adelante antes de que la agarrasen los soldados. Yo tenía once años, era liviana como una pluma, podía correr tan rápido como un *huemul*, como una gacela. Nunca volví a correr de esa manera. Tampoco supe más de mi hermano ni de mi madre.

Yo no llevo una cicatriz sobre la piel. Los pies casi desollados en la huida hacia la finca de Meirelles, las piernas laceradas, curaron pronto. Pero la memoria se abroqueló en una oscuridad venenosa.

Pongo sobre las de ellos mi propia mano, la que se aferró a las piedras del muro bajo para saltar del otro lado mientras se llevaban a Eulalia.

Las tres palmas enlazadas acarician las sombras de los que dejaron atrás.

Parte 2

Cuaderno de Isolina
2018

1

¿Cómo es posible que haya llegado a ser tan vieja? Si apenas ayer Celia y yo éramos dos rapazas vestidas de negro que buscaban, temerosas, una cara familiar entre la multitud apiñada en el puerto de Buenos Aires.

Y no la hubo. Porque también el tío Juan tenía miedo de vernos a nosotras. Por eso, creo yo, mandó a Braulio a buscarnos.

Hoy, en Fisterra, de donde partimos hace tanto tiempo, tengo una misión. O varias misiones. La primera es ponerme a recordar y a escribir mi recuerdo. Aunque no lo haga tan bonito como mi hermana, que siempre tuvo el don de las letras y la vocación de su estudio.

—A mí dame a leer el libro de las criaturas. Las que se mueven en el cielo y en la tierra. Las que matamos para comer y las que dejamos vivir. Las que mugen, las que balan, las que graznan. Las que forman bandadas en los cielos de la primavera. Esas son mis letras. Ellas hablan a su manera, quizá mejor que nosotros.

Eso le dije cuando me empeciné en convertirme en veterinaria. Y eso es lo que fui a aprender, lejos de casa, aunque para adiestrarme en ese libro de la naturaleza cuyas palabras volaban, croaban, relinchaban y dejaban bosta por el camino tuve que pasar primero por otros libros, hechos de papel como los de Celia.

No necesité convencerla a ella, pero sí al tío Juan. Mi hermana me ayudó.

—¿No cruzamos solas el mar? —le insistió al tío—. ¿No sobrevivimos a la guerra? ¿No pasó Isolina con Ignacia por otros peligros y están sanas y salvas?

Así fue como Ignacia y yo pudimos inscribirnos en la Facultad de Agronomía y Veterinaria de La Plata.

A Isidra no hubo que persuadirla. La sorpresa la había dejado muda. No podía creer que, desde la condición de pobre fugitiva venida de tierra adentro con cuatro trapos en un bolsito de lana, su hija podría ascender a la categoría de médica con consultorio. Y aunque sus pacientes fuesen vacas o caballos, en vez de personas, no por eso serían menos importantes. Algunos ganaderos parecían más dispuestos a desembolsar su dinero por la salud de una vaca o un toro campeones que por la de algún pariente no muy apreciado.

En La Plata estábamos juntas las dos, como lo habíamos estado desde la escuela. Buena falta nos hizo. Con otra chica, que después volvió a su pueblo de Areco, éramos las tres únicas mujeres de nuestro curso.

No faltó quienes nos llamasen, otra vez, Hormiga Negra y Hormiga Colorada. La metáfora después de todo no era tan mala. Nuestras cabelleras mantenían el mismo contraste. Y pese a los esfuerzos nutritivos de Trinidad e Isidra, ninguna de las dos había crecido mucho.

Como la Argentina está llena de gallegos (o está hecha en gran parte por gallegos), Braulio y Trinidad nos encontraron pronto alojamiento en casa de una paisana, doña Clemencia, que no hacía demasiado honor a su nombre. Era mandona y de mal carácter, pero buena cocinera, y se aficionó más a Ignacia que a mí, porque tenía mejor mano para aplicar sus recetas.

Nada nos pasó, pese a las aprensiones del tío Juan. Quizá lo más grave que podía ocurrirle a una estudiante fuera de su casa en aquellos tiempos era quedar embarazada antes del matrimonio. Pero esas cosas también sucedían en los pueblos y sin necesidad de estudiar. Durante la carrera tuvimos dos condiscípulas ya casadas. Afortunadamente, sus maridos habían sido más comprensivos que sus padres.

En realidad, no sé cómo no nos pasa nada ahora mismo, mientras recorremos las escolleras siempre húmedas de la *Costa da Morte*. Dos viejitas de poco más de metro y medio, tomadas de la mano, apoyadas en bastones de peregrino, tanteando despacito las rocas con nuestras botas de goma.

No hace tanto frío, pero las lluvias no terminan nunca.

—¿Sabés lo que significa a nuestra edad una fractura de fémur? ¿Y desde esta altura? —me recuerda Ignacia, sin necesidad alguna.

En poco tiempo estamos otra vez en el hospedaje, mudadas de ropa, tomando té caliente con una dosis generosa de *oruxo*, mientras los leños arden en el hogar de piedra. Aunque hay calefacción en todos los cuartos, nada reemplaza el encantamiento ancestral del fuego. Los nuevos dueños supieron conservar el espíritu, o mejor dicho, los espíritus de la casa, añadiéndole comodidades. Porque la *Casa das Ánimas*, donde nacieron y murieron tantas generaciones de nuestra sangre, hoy es una posada que recibe turistas en vez de náufragos, aunque algunos vengan de naufragios secretos, con la esperanza, quizá, de ser salvados.

Ignacia me sonríe.

—Lindo clima, ¿eh? Con razón los gallegos se fueron en masa a la Argentina. A ningún indio en su sano juicio se le hubiera ocurrido salir de la pampa para emigrar a Galicia.

Me aprieta la mano, solidaria. Para confirmarme que hice bien en dejar esta casa, esta escollera, este mar abismal que encoge el alma de admiración y horror. Que mi vida del otro lado, con todo y a pesar de todo, ha sido buena. Que es allí donde ahora está el hogar.

2

Vaya si pasamos otros peligros con Ignacia, como decía 107
mi hermana cuando intentaba convencer al tío Juan de
que nos dejara ir a estudiar afuera. Quizá por eso mismo le daba tanta aprensión pensarnos lejos, en cualquier
otra parte. Creo que solo después de haber sido madre y
abuela me di cuenta cabal del sufrimiento que debimos
de causarles a todos los que tanto nos querían, esa vez
que nos escapamos a Los Toldos sin decir el motivo ni dar
nuestro paradero.

En realidad Ignacia había planeado fugarse sola. Pero
me tenía demasiado cerca. Una tarde, al entrar a su cuarto
para pedirle un libro, la noté muy rara, como si acabara de
esconder algo para que yo no lo viese. Había ropas desor-
denadas sobre la cama. El ruedo de la colcha se levantaba
apenas en un extremo. Y su privadísimo cuaderno de anotaciones personales, siempre guardado en el fondo del
cajón de la mesa de luz, había aparecido de golpe arriba
de la almohada.

Dejé caer dos o tres lápices que llevaba en la mano.
Uno rodó lejos y se fue justamente donde yo quería: debajo

de la cama. Ignacia no pudo impedirme que lo buscara. Entonces vi lo que abultaba tras el ruedo de la colcha: un bolso donde había comenzado a guardar ropa, y en el que sin duda iba a poner el resto de las prendas y su diario.

—¿A dónde te pensabas ir? ¿Cómo es que no me avisaste?

—empecé, medio irritada.

El enojo se me pasó enseguida. Por los cachetes de Ignacia bajaban lágrimas gordísimas. Lloraba con ruido y hasta con hipos.

—Me tengo que ir, Iso. Antes de que le pase algo a mi mamá o a cualquiera de ustedes.

—¡¿Qué?! ¿Si vos te fueras ya no nos pasaría nada? ¿Por qué? Eso no tiene sentido.

—Yo sé lo que te digo. Y no puedo contarte más. Por favor, por favor, no me preguntes.

Me abrazó fuerte y le di palmaditas en la espalda hasta que se quedó tranquila. Al menos por un rato.

Nunca la había visto así. De las dos, ella era la seria, la calmada, la juiciosa. Yo, la alborotadora y de pocas pulgas. Aunque insistiera en no soltar palabra, no podía dejarla sola.

Nos escapamos un sábado por la mañana. Ese día todos estaban muy ocupados con el almacén y nosotras solíamos dormir hasta tarde. Sumando lo que guardábamos en nuestras alcancías, llegaba bien para los pasajes y otros gastos. Habíamos acumulado algunos víveres: galletas, chocolates, nueces. Antes de salir por la puertita de la huerta nos llevamos una de las hogazas que las manos maestras de Trinidad acababan de hornear.

Aunque había cruzado el océano sola con Celia, aunque había visto más mar y más mundo que casi todas mis compañeras de curso, me sentía insegura e inquieta. Claro que no lo habría admitido ante Ignacia. Toqué varias veces la hogaza tierna y aún tibia, envuelta en papel madera, para darme coraje.

El viaje fue por tramos y tuvo sus vueltas. Alguno de los guardas que revisaban los boletos nos preguntó qué hacíamos solas. A mí no se me ocurrió una palabra. Ignacia, en cambio, parecía ganar confianza y aplomo a medida que nos alejábamos de Chivilcoy.

—Mi mamá no pudo acompañarnos, pero en la estación de Los Toldos nos está esperando la abuela.

—¿La abuela de quién? —apuntó el guarda, mirando las obvias diferencias de nuestras caras y nuestras cabezas.

—La mía —contestó Ignacia—. Aunque ahora también es de ella. Mi hermana es adoptada.

El guarda se encogió de hombros, perplejo.

Al final, la mentira de Ignacia terminó acercándose mucho a la verdad. Cuando llegamos a destino había en el andén una señora vieja, vestida de negro, con un pañuelo que le tapaba a medias las canas. Ignacia corrió derecho hacia ella y se abrazaron. Era doña María, su madrina. Sábado por medio iba a la estación a buscar una encomienda que le mandaba una hija desde Buenos Aires, y entregaba otra con productos de campo y tés medicinales.

Convencido, el guarda nos hizo la venia desde la puerta que se cerraba, mientras Ignacia y yo íbamos con doña María hacia el sulky que nos llevaría a su casa.

Allá comimos un puchero de carne gorda y choclos, con agua fresca, de aljibe.

—¿Así que tu *mama* anda contenta y con salud? ¿Y vos vas a la escuela con tu amiga? ¿Qué tal alumna sos?

—Las dos estamos entre las mejores. Por eso nos dejaron venir a pasear después de la entrega de boletines. De premio.

—Ajá... Debías de estar extrañando de veras estos pagos. ¿no? Porque acá no hay mucho para ver, aparte de lo malo conocido. Para eso las hubieran llevado a Buenos Aires.

—Ya fuimos antes. Con mi hermana Celia y el tío Juan —apunté yo, notando que la conversación desbarrancaba peligrosamente.

—Se ve que ahora todos trabajan sin parar en el negocio de tu tío. Como nadie las acompañó...

—Y sí. Es que dentro de poco llegan las fiestas de fin de año, y hay tantos pedidos y cosas para dejar listas.

—¿No le molesta si nos quedamos con usted unos días, madrina? Ah, y acá tiene una tricota que le tejió mi mamita.

—Claro que no. Lugar hay. Ahora que se me han ido ya todos los hijos. Gracias por el regalo, ¿eh? Será para estrenar el próximo invierno, si Tata Dios me da vida.

Isidra acababa de terminar la prenda para dársela a Trinidad en Nochebuena. Pero la añadimos al equipaje cuando nos dimos cuenta de que no podíamos presentarnos con las manos vacías. Hubiera sido por demás sospechoso que la mamá de Ignacia no mandara ningún obsequio.

Doña María nos hizo entrar a un cuarto donde había tres camitas tapadas con ponchos.

—Acá tienen para dormir y pueden dejar sus cosas... al menos hasta que aclare —nos dijo, sin añadir más.

3

112   La madrina de mi amiga, que también la había ayudado a nacer, resultó ser una *meiga*. Así les decíamos en Galicia a las que la gente de "La Tribu", en Los Toldos, llamaba *machis*, en lengua mapuche. Se vestían de manera parecida y hacían más o menos lo mismo: curaban con infusiones, cataplasmas, emplastos y una abundante y persuasiva reiteración de rezos; sus saberes venían de tiempos más antiguos que la Iglesia y sus latines. *Meigas* y *machis* eran sanadoras populares en tierras pobres, con pocos médicos diplomados, y a veces actuaban con más sentido común que ellos. También sabían leer por dentro de las personas. Más aún, si se trataba de niñas con los ojos todavía transparentes.

Los pocos días que pasamos allá se nos fueron volando. Creo que nos habríamos divertido mucho si Ignacia no hubiera tenido tanto miedo y las dos tanta culpa por habernos ido como nos fuimos. Pasar la noche era lo peor. Dábamos mil vueltas antes de dormir y sufríamos pesadillas. A mí se me aparecían las caras de mi hermana, del tío Juan, de Trinidad y Braulio. Primero me miraban con enojo, y después con angustia y lágrimas que caían en silencio. Las del tío Juan, que parecía tan duro, eran menos abundantes, pero casi valían por las de todos los otros. Bien sabía yo lo que le costaba soltarlas.

Por la mañana nos levantábamos temprano y tomábamos mate cocido con leche y pan casero, junto a la cocina de leña. La pena se iba diluyendo en las actividades del día, que entretenían y enseñaban a la vez.

Pronto empezaban a llegar los pacientes de doña María. Si se trataba de animales, los llevaba afuera, al patio de atrás, que tenía una enramada. Me acuerdo de un ternerito abichado, de ojos celestes. Le limpió bien la herida, le sacó prolijamente los parásitos. Usaba orina o hierbas para desinfectar y aceites y azúcar para cicatrizar. También le hablaba como si el ternero fuese una persona. El animal estaba entregado y la dejaba hacer. Hasta le respondía (o le agradecía) mugiendo un poco. No sé si ahí nació nuestra decisión de dedicarnos a la veterinaria.

Los pacientes humanos pasaban a un cuarto donde ella guardaba sus yuyos, clasificados en bolsitas. Ahí había una camilla con una sábana que se cambiaba por la noche. Las curaciones eran a cortina cerrada y no podíamos verlas. A veces la gente se quedaba hablando, probablemente de las mismas preocupaciones que los enfermaban. Otras, se oía un tambor, y una voz que lo acompañaba como un eco profundo y distante dentro de un sueño.

Por la tarde la madrina barría, lavaba o preparaba sus remedios. Como nos aburríamos y queríamos salir, nos enseñó el nombre y el aspecto de algunas plantas y nos mandaba a juntarlas en una cestita, a un campo no muy lejos de la casa. Estábamos volviendo de una de esas excursiones cuando nos encontramos con Celia y con Gustavo Helmer, al abrir la puerta trasera de la cocina.

Mi hermana casi saltó de la silla para abrazarnos. Después intentó poner, como en mis visiones nocturnas, una inflexible cara de enfado. Nadie, empezando por ella misma, se lo creía. Las risas se mezclaron en seguida con las reprimendas.

La madrina cebó más mates y el aroma de las tortas fritas espolvoreadas con azúcar llenó la habitación.

—Perdona, Celita, no tuve otro remedio. Ignacia necesitaba irse, todavía no sé por qué. Pero yo no podía dejarla, así desesperada como estaba...

—Ya está, m'hija —me interrumpió doña María—. Hiciste lo tuyo. Y no es poco. No hay tantos que sigan a un amigo de pura fe, solo porque saben que precisa su ayuda. Ahora le toca a Ignacia. El habla tiene que salirle del cuerpo. *Nenechén*, o Tata Dios, nos entregó a todos algunos dones gratis. Y lo que no nos dio de arriba, nos toca trabajar para conseguirlo. Que ella diga, porque la palabra hace más fuertes a las personas. Y las cura. Hay que sacarla de adentro para limpiar el alma, como se limpian las heridas.

Ignacia habló, primero mirando al piso. Luego los ojos se alzaron siguiendo a la voz.

—Estaba espiándome a la salida de la escuela. Era él.

—¿Quién?

—Goyo, el marido de mi mamá.

—¿Él es el hombre que la castigaba? ¿Por eso se fueron de este pueblo? —preguntó Celia.

—Le pegaba desde que empecé a ser más grande. Porque él quería hacer conmigo, en la cama, lo que hacía con mi mamá, y ella no lo dejaba tocarme. Así es como llegamos a Chivilcoy. Primero nos escapamos a Junín, y el marido y el hijo de Sara nos ayudaron y nos llevaron al almacén del señor Juan.

—¿Por qué no nos dijiste que ese tipo las estaba rondando de nuevo? Mi tío se habría encargado de que lo echaran o lo detuvieran.

Ignacia sacudió la cabeza.

—¿Para qué, Celia? ¿Para que Goyo lo lastimara a tu tío también? ¿O a cualquiera de ustedes? ¿Y todo por mi culpa? ¿Otra vez?

La voz de Gustavo resonó tranquila, calmante como una mano que neutraliza puntos de dolor.

—Nunca fue tu culpa. Hay un solo culpable y no sos vos.

La tarde fue avanzando sin ser notada. Nos fuimos cuando el sol empezaba a pintar el cielo de fiesta y sangre, como un día de toros. Doña María nos despidió con palabras de una lengua que no entendimos. Supimos, sin embargo, que eran una bendición.

Nos fuimos a pie, con la alegría de los que se sienten libres. Faltaba poco para llegar al punto de encuentro que mi hermana y Gustavo habían pactado con Carmen y Francisco Brey. Anticipábamos sus caras alargándose en la sorpresa, felices de volver a vernos.

Pero antes de que esas imágenes se materializaran, el cielo se nubló y una sombra se cruzó a a nuestro paso. Oímos el disparo de un arma. Gustavo nos cubrió con su cuerpo, nos arrastró en un abrazo y rodamos afuera de la senda, sobre los pastos altos.

4

Desde aquel momento, las fichas de un juego que se había iniciado sin nosotras, años atrás, dibujaron un mapa que iba a durar por mucho tiempo, con la intervención de nuevos actores.

La Sala del Hospital de Junín era un ir y venir de batas blancas que olían a desinfectantes y almidón. En el medio, sentadas en un banco largo, estábamos las tres, con las ropas manchadas de tierra y briznas, pero ilesas: Ignacia, Celia y yo. Llevábamos horas ahí, alimentándonos de informaciones que llegaban a cuentagotas.

Francisco Brey volvió por fin de la Policía. Gustavo y el hombre que nos salvó la vida, dijo, prestarían declaración después de que terminasen de curarlos.

—Yo vi primero a Goyo —explicaba Ignacia—, pero creí que era como un sueño, que me confundía por el miedo. Si había quedado tan lejos.

Todo fue como un sueño de terror, donde se encadenaron sucesos imprevisibles.

A Gustavo le entró una bala por el brazo izquierdo. Pero el padrastro de Ignacia no consiguió volver a dispararnos. Un hombre joven, que tal vez venía siguiéndolo, había brotado de la senda, detrás de él. Forcejearon, se insultaron. El arma tronó de nuevo, aunque al aire, y voló a distancia, despojada de su poder. Un pedazo de fierro viejo, incapaz de dañar.

Entonces los dos echaron mano de los cuchillos: los facones, que los gauchos usan para trabajar en el campo. Las hojas destellaron, se cruzaron, siguieron su viaje hacia adentro de los cuerpos. La sangre empezó a teñirlos por igual, anulando sus diferencias bajo el mismo color. Uno logró incorporarse, el otro no.

—Está muerto —dijo Gustavo, después de tomarle el pulso.

Los ojos de Ignacia resplandecieron, como antes habían brillado las hojas de los facones. No tanto con odio sino, por fin, con alivio.

El sobreviviente había caído de espaldas y respiraba muy mal.

—La herida debe de haber comprometido el pulmón —sentenció Gustavo, con jerga de médico—. Hay que taponar. Y moverlo lo menos posible hasta que se asegure el traslado.

Celia lo ayudó a quitarse la camisa y a cortar los faldones con el cuchillo del herido. Entre los dos compusieron un apósito y dejaron un respiradero. Luego prepararon otras vendas para el brazo de Gustavo.

Incapaz de hablar, el hombre agradecía con la mirada.

"Yo había visto antes esos ojos", me diría luego Celia. "Eran los de una foto que Carmen Brey me entregó para el tío Juan. La de un hombre que se llamaba o se hacía llamar Ramón Olvera". Cómo íbamos a llegar al punto de encuentro en esas condiciones. Celia y Gustavo se pusieron a discutir los medios. Así seguíamos perdiendo el tiempo, y el herido, más sangre. Antes de que ellos pudiesen aprobar u objetar, me lancé al camino, a toda carrera. Pude encontrar a Francisco Brey, que venía a buscarnos en la camioneta, preocupado por el retraso, y lo traje conmigo.

Gustavo asomó por una de las puertas que daban a la sala del hospital, sonriente. Llevaba el brazo herido en cabestrillo, impecablemente curado y vendado. Levantó el otro para rodear a Celia cuando ella apoyó la cabeza sobre su hombro y lo abrazó. Habían pasado por mucho juntos. "Entonces y tal vez desde siempre", diría Celia, años más tarde. "Como si yo estuviese huyendo con Gustavo, atravesando la valla de alambre que desgarró su mano de niño. Como si él me ofreciese esa mano para saltar el muro de la finca de Meirelles".

—El hombre que nos salvó está por despertar de la anestesia —le anunció a Celia—. Todo en orden, la operación fue excelente. Tu tío Juan y Francisco están con él.

Ella quería verlos. Nos pidió a Ignacia y a mí que esperásemos con Gustavo.

Algo enviciada por el éxito de mis desobediencias, no le hice caso y la seguí sin hacer ruido. Después de todo, también se trataba de mi tío. Y del que habríamos creído nuestro ángel de la guarda, si no hubiera demostrado ser bien humano.

Celia golpeó con suavidad la puerta del cuarto. Salió Francisco Brey.

—No puede haber más de dos personas con el enfermo. Es mejor que entres tú ahora. Tal vez Juan te necesite.

¿Para qué necesitaría el tío a Celia? ¿Se habría vuelto un niño desamparado? ¿Temería, acaso, al hombre de la foto que nos libró del atacante?

No parecía ese el motivo. El tío Juan estaba muy cerca de él, en una silla junto a la cama. Ni se dio cuenta de la entrada de Celia y menos aún de que también yo me había colado. Con mi tamaño, contaba apenas como media persona, y me escondí fácilmente detrás de un biombo. Igual podía verlo todo desde ahí.

Lágrimas inexplicables rodaban por las mejillas de mi tío. Seguía mirando al hombre que aún tenía los ojos cerrados, pero respiraba en paz.

No bien advirtió a Celia a su lado se sonó la nariz, se aclaró la garganta.

—¿Qué le pasa, tío? ¿Por qué llora? ¿Quién es este? ¿No es Ramón Olvera, el de la foto que le llevé?

El tío apretó la mano de mi hermana. Respiró hondo, antes de poder hablar.

—No se llama Ramón Olvera. Es mi hijo. Mi único hijo vivo, tu primo Enrique.

En ese momento el hombre que no era Ramón Olvera abrió los ojos y los miró a los dos.

5

Cuando volvimos a casa, nos hartamos de hacer preguntas a todo el que nos las quisiera contestar. No abunda-
ban los voluntarios, a pesar de que los secretos de familia,
como ya se demostrara de tantas maneras, no solo no ser-
vían para evitar ninguna catástrofe, sino que más bien las
provocaban.

—Enrique no era un muchacho malo —dijo Braulio—.
Pero, después de la muerte de su madre, se bandeó.

—¿Cómo que se bandeó?

—Quiso hacer las cosas a su modo. Mandar también
en el negocio. Pero no se pusieron de acuerdo con don
Juan. Por eso Enrique pidió el dinero de la herencia que
le tocaba por doña Consuelo y se marchó lo más lejos
que pudo, a Mendoza. No le fue bien. Se metió en deudas, y con gente de temer. Terminó escapándose de allá
y buscó trabajo, con otro nombre, en campos de Buenos
Aires.

Enrique no quería volver al redil. Con cierto funda-
mento, porque no era una oveja ni un ternero, aunque a
veces muchos seres humanos actúen como tales.

No quería pedir perdón. O por lo menos, agachar la cabeza delante de su padre y reconocer que se había equivocado en el manejo de sus asuntos. Pero, de algún modo, deseaba ser encontrado. ¿Cómo, si no, iba a conchabarse justo en el campo de Francisco Brey, que lo conocía de chico? Aunque no se vieran desde hacía tiempo, aunque Enrique se había dejado la barba y era y parecía un hombre adulto, sus historias se parecían demasiado como para que una palabra, un gesto, una actitud, no hiciesen sospechar al hermano de Carmen Brey. Otro experto en fugas intempestivas, que se había ido de España.

Aquellos que se buscaban sin admitirlo, nuestro tío y nuestro primo, se reunieron por fin. Y la mujer y la niña que huyeron de un mal hombre, y que seguían escapando de su sombra siempre acechante, ya no necesitaban esconderse de nada ni de nadie.

Isidra e Ignacia eran libres. Y libremente se quedaron con nosotros. Serían siempre, por elección de todas las partes, miembros de la familia.

El regreso de Enrique también significó una nueva vida para Celia. El almacén de ramos generales tuvo un letrero flamante sobre la marquesina que proclamaba, en grandes tipos de imprenta: JUAN LAGO LIÑEIRO E HIJO. Mi hermana aprobó con las mejores notas todos los exámenes que le faltaban para terminar las equivalencias de la escuela secundaria. Y al año siguiente ingresó al Profesorado de Lengua y Literatura en la Escuela Normal Superior de la ciudad, donde enseñara, poco tiempo atrás, alguien que luego se haría famoso por sus libros: Julio Cortázar. E ingresó, asimismo, en el amor. No con Fernando Inchauspe, que fue el detonante involuntario de su ataque de nervios en la romería, sino con Gustavo Helmer. Después de los sucesos de Los Toldos, se convirtieron en inseparables.

Nuestro primo y nuestro tío resultaron ser buenos socios. Los dos hablaban y los dos se escuchaban. Tratándose de seres humanos, es mucho decir. Mientras tanto, en el país donde vivíamos, que era ya el nuestro, las personas de diferentes opiniones cada vez se soportaban menos.

Una tarde, cuando hacíamos las tareas en la mesa de la cocina, oímos voces destempladas que venían del almacén. Nos fuimos acercando despacio hasta la puerta que separaba la casa del comercio. Celia, intranquila, se quedó en el borde de los dos ambientes, asomándose apenas por detrás del cortinado.

Dos hombres que conocíamos de vista hablaban con el tío y con el primo Enrique. Eran clientes ocasionales que nunca habían causado ningún problema. A uno lo llamaban el Morocho del Abasto, porque era un buen cantante de tangos aficionado, que se lucía en las fiestas imitando a Gardel. Al otro lo conocían como el Gurrumín, aunque ya pasaba de los cuarenta. No solo por bajito, sino por su cara de nene. Un *baby face*, dirían hoy, que engañaba de lejos.

—Por eso se lo trajimos, don Juan. Porque usted es un gran trabajador. Representativo y estimado en la comunidad —peroraba el Morocho—. Por favor, tómelo como un regalo y un reconocimiento. Una atención del General y de la Señora.

—No dudo de la bondad de sus intenciones. Pero esto no es una oficina pública. Es mi negocio.

—¿Y qué mal le hace lucir acá este hermoso retrato del Presidente y de su esposa?

—Señor Chávez, no todos mis clientes son peronistas. Podrían tomarlo como una declaración política. O una imposición por mi parte. Y ofenderse.

—Si los "gorilas" se le van por eso, ya le caerán otros clientes mejores —terció el Gurrumín—. Nosotros le vamos a mandar a todos los afiliados de la Unidad Básica.

—No es la cuestión. Entienda que yo soy español. Y vean ustedes que no pongo ni la bandera oficial de España ni la bandera de la República.

—Lo bien que hace. Nosotros tampoco nos metemos en las peleas de los gallegos, no se preocupe. Acá estamos en la Argentina. Y este es nuestro Presidente.

—También es el jefe de un partido polí...

—Papá, si le parece, lo hablamos más tranquilos a la noche, de sobremesa. Tenemos muchos pedidos para preparar todavía. Ustedes dejen el cuadro por acá, muchachos. Y gracias por el detalle.

Salieron contentos. Afuera estaba la camioneta en la que habían venido. En la parte de atrás se veían asomar varios paquetes de similar tamaño.

Enrique y el tío Juan quedaron mirándose. El tío estaba colorado de furia. Respiró hondo y recién después habló.

—Aquí no debería mostrarse otra propaganda que la de los productos que vendemos. No hay derecho.

—Tiene razón, papá. Pero nos van a tomar entre ojos. Y, en vez de clientes, nos van a caer inspecciones. Ya verá cómo nos encuentran algún problema y nos cierran el local. Está pasando en otros negocios. Cada vez más seguido.

El cuadro se colgó. En una esquina, con los dos extremos envueltos en cinta celeste y blanca, como para no dejar dudas sobre la legítima función oficial de los retratados. Enrique distribuyó banderitas argentinas que hacían juego en varios lugares estratégicos, aunque eso no ahorró los comentarios sarcásticos ni la deserción de algunos parroquianos.

Otro almacén de ramos generales, el de la sabiduría, como llamaba mi hermana, en broma, al Instituto de Cultura de los tíos de Gustavo, comenzó a recibir, por los mismos motivos, la insistente visita del Gurrumín y del Morocho. Pero ahí no se cedió ni un ápice. El doctor Phorner era irreductible.

Un atardecer, cuando se iniciaban los cursos nocturnos del Instituto, todas las ventanas que daban a la calle fueron apedreadas. Algunos vidrios recibieron el impacto entre medio de las rejas y estallaron. A uno de los cursantes se le clavó una esquirla en la cara y la sangre manchó el cuaderno donde escribía.

Esa noche nos reunimos con los Phorner-Brey en la sala de su vivienda. Habían dado aviso a la Policía y cerrado el Instituto.

El doctor Phorner tenía en las manos el cuaderno con huellas de sangre seca, y no dejaba de mirarlo. Hasta que levantó la cabeza, sin decir una palabra. Los ojos también parecían vidrios rotos.

La semana siguiente la señora Brey viajó a Buenos Aires. Tiempo después, nosotras –no el doctor Phorner– conoceríamos los motivos de esa visita.

6

Hoy pasamos por las fincas que alguna vez fueron de mis abuelos o de otros miembros de la familia. O de conocidos. Todas conservan, como reliquias históricas que dibujan un paisaje característico, los viejos hórreos, donde se guardaban los granos.

—Me gustan —dice Ignacia—. Parecen capillitas. O casas antiguas de muñecas.

Niños divertidos, o turistas, pueden verlas como juguetes de otro tiempo. Cuando Celia y yo vivíamos aquí eran tan importantes como cajas de seguridad o bóvedas bancarias. La protección contra el hambre. Ay de los que no tuviesen nada reservado en ellas.

El muro bajo de Meirelles que aparecía en las pesadillas de Celia ahora es alto, rodeado de setos y de plantas que darán flores en primavera. La casa primitiva ya no se ve más. Quizás esté sumergida dentro de esa otra, construida hace poco, pero con estilo y envergadura de *pazo* señorial, que se divisa a través de las rendijas, tras el portón de hierro.

Ignacia la mira desde el filtro de un catalejo.

—Nada mal —apunta, con ironía—. Podrías alquilarla para venir de vacaciones.

—Gracias con que pagué el hospedaje en mi propia ex casa. Pensar que antes estas mansiones las edificaban los indianos ricos.

—¿Quiénes? ¿Qué es eso?

—Los que hacían la América, es decir, las Indias. Los que prosperaban en la Argentina, en el Brasil, en Cuba. Muchos donaban dinero para escuelas o bibliotecas. También les gustaba mostrarlo. Tal vez para darles en las narices a los nobles y los amos, los antiguos señores de vida y hacienda que antes tenían derecho sobre las tierras de todos.

—¿Darles en las narices? ¡Qué gracioso! Desde que llegaste estás hablando de una manera muy rara.

—Es el pasado que vuelve a encontrarse con mi vida, como en los tangos.

—¿Y esa casa será de un indiano?

—Ya no. Nosotras fuimos de los últimos en emigrar a América. Será de los que marcharon en la época de Franco a Alemania o a Suiza o a Inglaterra. Trabajaban en lo que podían y todo lo que ahorraban era para volver aquí de viejos, y vivir como aquellos que los habían despreciado.

Caminamos hacia uno de los muchos *cruceiros* que tachonan el campo. También son reliquias de un pasado en que las gentes necesitaban un crucifijo de piedra en la soledad del monte, para pedir protección contra el *demo*, o perdón para los espíritus errantes que no pueden entrar en el paraíso y se meten en los asuntos de los vivos.

Hay un banco rústico de granito donde nos sentamos a descansar.

—En los últimos años los españoles están emigrando de nuevo. Da vueltas, como una calesita.

—¿Qué?

—La historia. Desde que yo recuerdo, o desde que me contaron, durante siglos, siempre hubo alguien de la familia que se fue a las Américas. Y siempre alguien volvió. Ojalá hubiera podido venirse aquí, a tiempo para salvarse, mi sobrino Manuel.

Ignacia calla. Quién sabe lo que estará pensando. Sus antepasados indios nunca se fueron. Los echaron y tuvieron que resignarse. Aunque también nos echaron de algún modo a nosotras. A los perdedores de todas las guerras.

7

130 Después de que la señora Brey volvió de Buenos Aires no hubo más incidentes, aunque no se colgó un solo cuadro oficialista en el Instituto de Cultura, ni el doctor Phorner se privó de criticar lo que se le antojara sobre la política del gobierno con los intelectuales y los medios de prensa. Tampoco el Morocho del Abasto ni el Gurrumín regresaron por el almacén.

Doña Carmen vino cargada de libros y de chismes. Había visitado a muchas de sus antiguas amistades de cuando vivía en la Capital. Una de ellas era Victoria Ocampo, la fundadora de la revista *Sur*, que publicaba literatura argentina, de Europa y de las dos Américas. La profesora Brey había trabajado para ella recién llegada al país, asistiendo como intérprete personal al poeta y premio Nobel Rabindranath Tagore, cuando la Ocampo lo alojó en San Isidro. Carmen conocía a muchas personas con pensamientos y gustos muy diferentes entre sí, y con todas mantenía un vínculo amable y fiel. Una condición ya rara entonces, que se hizo cada vez más infrecuente.

Un sábado nos invitó a merendar. Creo que la invitación era nada más que para Celia, pero ella se empeñó en que fuéramos juntas. A veces me regañaba por ocuparme solo de bichos; quizá temía que fuese a terminar yo misma viviendo en un zoológico.

Mi hermana alucinaba de emoción ante los relatos que pensaba escuchar, como lo hubiera hecho una *fan* del cine si se tratara de las estrellas de Hollywood. Empezó a bombardear a preguntas a nuestra anfitriona.

—¿Cómo lo pasó? ¿Qué tal están sus amigos escritores? ¿Habló con Borges?

—Están bien, aunque tuve que ver a algunos por separado, no como cuando todos éramos jóvenes, hace veinte años. Hay quienes ni siquiera se dirigen la palabra, después de haber sido íntimos, porque los divide la política. Como Borges y Leopoldo Marechal, que antes me acompañaron juntos a Los Toldos para buscar a mi hermano.

—¿Y lo encontró gracias a ellos?

—No precisamente. Querían ayudarme, pero eran dos despistados terribles. La que me dio la indicación correcta fue una nena del pueblo. Por su madre y por ella llegué a "La Tribu", donde vivía mi hermano en aquel entonces. Nunca olvidé a la niña. Era una criatura fuera de lo común.

—¿La volvió a ver?

—Acabo de volver a verla. En este último viaje.

—¿Se hizo escritora?

—No. Algo mucho más raro. Se convirtió en Eva Duarte de Perón.

Nos quedamos pasmadas de asombro.

—No sabía si iba a recibirme ni si se acordaría de mí. Pero sí se acordaba. Muy bien. Y hasta me pidió disculpas.

—¿Por qué?

—Nos habíamos hecho amigas. Todo lo amigas que pueden ser una mujer cercana a los treinta años y una nena próxima a cumplir diez. Cuando nos despedimos, le regalé, entre otras cosas, un libro sobre las heroínas de la historia. No soñaba con casarse y tener hijos y una casita en el pueblo, como la mayoría de las chicas a su edad. Más bien se pasaba el día fantaseando sobre las grandes actrices o las que se habían destacado por sus hazañas. Por eso me pareció que se merecía el libro. Llegamos a intercambiar dos o tres cartas. Tenía muy mala ortografía pero mucha imaginación. Luego no volví a recibir nada más. Me enteré de que se habían mudado intempestivamente; nunca me mandó sus nuevas señas.

—¿Y cómo es ahora?

—Ha sido muchas mujeres, como las heroínas del libro, como las que interpretaba en la radio. Hoy prefiere el traje sastre al vestido de fiesta y trabaja jornadas enteras en la Fundación que lleva su nombre. Quiere reparar a toda costa las carencias del mundo, ella en persona, sentada en su despacho, recibiendo a peticionantes, entregando donaciones. Imposible, claro. Como si alguien quisiera convertir el desierto en tierra fértil regándolo a mano. Pero creo que no miente en ese papel y lo cumple a rajatabla.

—¿Por su intervención no molestaron más acá?

La profesora Brey sonrió.

—Algo le dije de nuestros problemas. Y un llamado suyo funciona como palabra mágica. Para bien y para mal.

La violenta intolerancia de los argentinos entre sí no mejoró. Unos incendiaron iglesias, quemaron la biblioteca socialista de la Casa del Pueblo y la biblioteca de la Casa Radical. Otros bombardearon la Plaza de Mayo y finalmente, con un golpe de Estado, echaron a Perón y secuestraron el cuerpo embalsamado de Eva Duarte. Las dictaduras o las democracias incompletas se sucedían; se alzaron grupos insurgentes. Hasta que los muertos se convirtieron en fantasmas insepultos.

Hubiera sido tanto mejor vivir con los animales que estudiaba y que amaba, en un establo, en una jaula del zoológico, antes que con mis compañeros de especie, pensaba entonces.

8

134   La señora Angelita Tagliaferro volvió al almacén del tío Juan poco tiempo después de la revolución militar que derrocó a Perón. Estaba algo más gorda, blanda, madura, pero nada fea. Al contrario de Eva Duarte, que había muerto consumida por el cáncer, ella vendía salud, como suele decirse, a pesar de sus desdichas económicas y sentimentales.

Ya no tenía marido. El señor Tagliaferro, tan engominado y cortés, la había dejado (por otra), con una carnicería en decadencia, una casa hipotecada y una frustración peor que todas las demás: el bebé tan ansiado por la esponjosa Angelita no había llegado ni llegaría nunca. Desconfiada del futuro y harta de ver todo lo que le recordase al traidor, alquiló la casa y la carnicería y volvió al pasado donde estábamos o habíamos estado Celia y yo, Trinidad y Braulio, y sobre todo el tío, que nunca le había dicho una palabra inconveniente, aunque sí la había mirado complacido.

De esas miradas, siempre halagadoras, se acordaría ella. Por eso retornó a su lugar en la caja, y también buscó otro espacio propio y exclusivo dentro del tío Juan, que se animaba cada vez más a mostrar fragilidades amorosamente humanas.

Celia festejó el regreso de Ángela Tagliaferro. Había sido muy buena con nosotras cuando llegamos.

—Parece mentira, Celia. Ya casada y con un nene —suspiraba Angelita, acariciando a Manuel.

Los Phorner-Brey estaban tan embobados con mi sobrino como si fuera su primer nieto. El profesor lo llevaba a pasear a la plaza y le enseñaba su lengua, feliz de hablar con una criatura (*ein Kind*) que portaba el nombre de Manuel Kant, aunque el filósofo de Könisberg nada tuvo que ver en el asunto, porque Celia se lo había puesto en memoria de nuestro padre.

Ángela también le pedía prestado el niño a mi hermana, ya que la vida no había querido regalarle ese juguete maravilloso. Iban a la heladería, a la calesita, a comer manzanas acarameladas, barquillos y copos de nieve. Muchas veces los acompañaba el tío, mientras Gustavo y Celia estaban atareados en el consultorio y las clases. Mi sobrino devolvía tanto cariño a manos llenas, pringosas con todos los azúcares prohibidos que devoraba a espaldas de su padre médico.

Solo hubo una persona a quien incomodaba el retorno de Ángela Tagliaferro: nuestro primo Enrique. Si la toleraba como cajera, otras funciones le parecían inadmisibles. Un día, ella dejó la casita que ocupaba a unas cuadras del almacén y se instaló en los cuartos del piso alto, que el tío había compartido con su mujer, Consuelo.

Otra vez hubo cortinas nuevas, almohadones con fundas de hilo fragante, bolsitas de alhucema y lavanda en los estantes y los cajones de cómodas y roperos. Todo empezó a moverse y a destellar con la dicha de los cuerpos humanos que enciende los lugares y las cosas donde esos cuerpos se encuentran.

Una tarde, Enrique abordó a Angelita cuando se cruzaron en la escalera, después del horario de cierre del almacén.

—Señora Tagliaferro, ¿qué está haciendo aquí?

—Mejor que me llame Ángela. Ese apellido ya no lo uso.

—Pero está en su libreta matrimonial, ¿no? Y que yo sepa, usted no es viuda.

—Un marido es algo más que un apellido en una libreta. Y cuando la gente se va, en cierto modo es como si se muriera.

—Siempre se puede volver.

—Si te reciben.

—¿No le preocupa lo que la gente diga?

—¿Por qué? ¿Es que alguien se preocupó por mí cuando el señor Tagliaferro se fue con otra?

—No me gusta que viva en esta casa, en estas condiciones, tomando el lugar de mi madre.

—El lugar de su madre fue único. Yo tengo el mío. Como usted el suyo, que dejó vacío por tanto tiempo.

—¿Me lo reprocha?

—No soy quién. Pero usted sabe que los padres no pueden cambiar de hijos. Ni los hijos de padres.

Enrique bajó la cabeza.

Mi primo no volvió a molestarla desde ese día. Y cuando a su vez se casó y tuvo niños propios, la invitó de buen grado para que los llevase a la plaza, a llenarse las manos y la cara de dulces más curativos que las medicinas.

9

138 Muchas veces me siento como si hubiera nacido en otro planeta. O como si el lapso que media entre la Galicia de mi infancia y el mundo actual equivaliera a tres siglos. La electricidad, las carreteras, las rutas, los aviones, comunican las ciudades y las aldeas antes perdidas en las montañas y aisladas entre sí. Los que cruzan el mar ya no se despiden con la grave intensidad de quienes temen quedarse para siempre del otro lado. Las cartas que tardaban cuando menos quince días o varios meses, o nunca llegaban, ya no son necesarias. Han sido reemplazadas por comunicaciones inmediatas.

De vuelta en la posada, recupero la señal de wifi, y mi celular se enciende con increíbles letras, voces e imágenes que parten en este mismo momento a miles de kilómetros de distancia. La realidad se adelantó a muchas predicciones de *Los Supersónicos*: esa serie de dibujos animados que mirábamos con mis sobrinos y luego con mis hijos, en los años sesenta. En algunos casos se quedó corta. Ni siquiera la señora Sónico poseía un aparato mínimo y manuable que funciona como teléfono, pero que también puede ser un cine, una radio, una televisión, un diario, una casilla de correos, una biblioteca, un reproductor de música, una cámara de fotos, una filmadora, una agenda, un anotador, una grabadora, una calculadora, un diccionario, un despertador, una linterna que parpadea en medio de la noche.

¿Fue apenas ayer cuando, reunidos todos en torno de una caja cuadrada en el living del tío Juan, veíamos maravillados, en blanco y negro, cómo unos enormes trajes blancos, con escafandras y tubos de oxígeno, pisaban el suelo antes mágico de la Luna? Los nuevos conquistadores estadounidenses que había dentro de los trajes clavaban en ese suelo desierto su bandera, mientras sus rivales rusos ya estaban pensando en Venus y se multiplicaban los búnkers donde ciudadanos aterrados, locos o no, se preparaban para sobrevivir a la próxima guerra atómica. Sus víctimas posibles ya no serían solo cobayos japoneses.

La Tierra seguía siendo un planeta hostil. Los líderes morían en su plenitud, asesinados como Martin Luther King o John Fitzgerald Kennedy, aunque sus obras y palabras los sobrevivieron. El apocalipsis se prolongaba en Vietnam, mientras John Lennon cantaba *Give Peace a Chance* y los *hippies* exhortaban a hacer el amor y no la guerra.

Las ropas de las chicas se acortaban y se achicaban; las cabelleras de los muchachos crecían sin control, en los dos casos para escándalo de sus padres. Los Beatles revolucionaban la música. Otros planeaban y ejecutaban revoluciones de distinta clase, algunos con el sueño de que así arrancarían, de raíz y para siempre, el mal de la inequidad que lo destruía todo. También a la Argentina de las dictaduras llegó ese sueño y muchos jóvenes murieron por él. Unos empuñaron fusiles, otros no. Pero, salvo por los que pudieron huir, casi todos tuvieron el mismo final: fueron borrados en la oscuridad clandestina, sin lugar y sin cuerpo.

140   En el mismo cajón donde estaba el cuaderno de Celia, el que me confió para traerlo a Fisterra, encontré otras páginas, sueltas, fechadas en 1980. Aunque no me habló de ellas, sin duda quiso que las viera.

Llevé un cuaderno de notas, o un diario, hace muchos años. Cuando cruzamos el mar y llegamos aquí. Ahora pienso que ese cuaderno era como un cayado de peregrino. Esos bastones de punta curva donde se apoyaron durante siglos los caminantes que marchaban a Santiago de Compostela. Desde todas partes de España y de Europa, por rutas con nombres de geografías reales o metafóricas (la Vía de la Plata, la Vía de la Estrella), hasta alcanzar el centro donde encajaban las piezas sueltas de la realidad y se abrían, por fin, las puertas del destino.

Se abrieron para mí.

Más de lo que esperaba. Al tocar tierra nada tenía, pero las manos se me llenaron de dones. Y de trabajos. Tantos, que no hizo falta el cayado ni hubo tiempo para las anotaciones del camino.

Ahora ya no hay camino.

Solo hay un agujero negro. La ausencia de mi hijo, ni muerto ni vivo, un fantasma en el cielo y en la tierra, sin entidad. Desaparecido.

Desaparecido. Sin entidad. Sin nombre, sin justicia, sin derechos. Girando en la nada.

Ni vivo ni muerto.

Desaparecido.

Lo ha dicho ese fantoche que nos gobierna. Con palabras de autómata, mecánicas y frías, que le salen por debajo de un bigote pintado. No parece de verdad. Pero esas palabras determinan la realidad que vivimos.

¿Vivimos?

También nosotros, Gustavo y yo, nos hemos vuelto fantasmas de todos los mundos, como Manuel. Y como el fantoche del bigote, nos movemos en un mapa de carriles, ordenanzas y reglamentos. Cumplimos la minuta diaria, mientras el agujero negro crece por dentro. Tenemos otros dos hijos. Y alumnos, pacientes, y exámenes que corregir y cuerpos para curar. Reparamos, mejoramos, cuidamos, en tanto todo se destruye en nuestro interior.

Como siempre, como lo hago desde que era una muchacha aterrorizada que puso pie en la pampa, la casa de Carmen Brey es mi refugio. Tampoco ha resultado fácil para ellos. El Instituto fue clausurado dos veces. Las marcas de las culatas todavía pueden verse en algunas puertas. Las fallebas de ciertas ventanas nunca quedaron bien reparadas. Pero las huellas más profundas están donde no se pueden ver. Falta buena parte de la biblioteca, envuelta en plástico y enterrada debajo del pino, en el jardín del fondo, a la espera de su resurrección.

—Ya se quemaron demasiados libros en este siglo —dijo Ulrich—. No podemos perder más tesoros. Al menos no nos faltan personas.

Eso lo repetía hasta que nos faltó Manuel.

Ahora todos callamos, y la zona de lo innombrable avanza como una sombra que se lo come todo y duplica la oscuridad.

Cuando el vacío empieza a crecer hasta que temo perder la conciencia de quién era y quién soy, subo a las habitaciones del piso alto. Ulrich y Carmen pasan mucho más tiempo que antes en esos cuartos. Todavía figuran, oficialmente, como directores del Instituto de Cultura que ahora es casi solo un Instituto de Idiomas, menos peligrosos que la Filosofía, la Sociología, la Literatura, la Historia. Sus hijos y yo nos encargamos de manejar casi todo. Carmen da un curso de Filología Inglesa, y Ulrich otro de alemán. Los dos se han ido haciendo viejos.

Otros ya no cumplirán años. Ni el tío Juan ni Trinidad ni Braulio. Descansan en la paz que se han ganado. Y ha sido mejor, para que no sufrieran las penas del presente.

Al entrar en la sala de los Phorner siempre se oye música. Hoy es Mozart. La flauta mágica. El aria de la Reina de la Noche. Por un momento, floto en un espacio donde todo se suspende. El dolor también.

Pero no está Carmen. Ni tampoco Ulrich. Para mi sorpresa es Gustavo el que me espera, mientras lee, en el sillón de su tío, el mismo libro, sobado y desgastado, con el que Ulrich me enseñó el alemán: Das Stundenbuch. El libro de horas, de Rainer Maria Rilke.

Ich lebe mein Leben in wachsenden Ringen
Die sich über die Dinge ziehn
Ich werde den letzten vielleicht nicht vollbringen
Aber versuchen will Ich ihn.

"*Vivo mi vida en círculos crecientes, que se dibujan sobre las cosas. Quizá no llegue a completar el último, pero voy a intentarlo*".

No sé cómo ocurre. De pronto Gustavo y yo estamos reci- *tando juntos esos versos. Él se pone de pie para recibirme, con los brazos tendidos. Y cuando esas palabras se pronuncian, a dúo, hundo la cabeza en su pecho, cierro los ojos y pienso en Manuel. Mi niño. Nuestro niño. Al que apenas le despunta-ba la barba cuando se lo llevaron para siempre de su cama y de nuestra casa, acusándolo de algo por lo que nunca fue juz-gado. Quizá Gustavo piensa, también, en un hombre joven, su padre, que no salió jamás del campo de exterminio. Y en el niño que se desgarró la mano mientras buscaba la vía salva-dora hacia otro mundo donde él sobreviviría pero no Manuel, su hijo, nuestro hijo, sin entidad, ni vivo ni muerto, fantasma perpetuo, desaparecido.*

Gustavo me abraza. En su abrazo están todos mis hombres ausentes: mi padre, el tío Juan, también Manuel. Volamos juntos, en círculos crecientes, hacia la torre más antigua, guiados por la voz de la Reina de la Noche.

Suelto las amarras, las notas del cuaderno, el cayado de peregrino. Ya no sabemos si somos el halcón o la tormenta, o un inmenso canto.

10

144 Es nuestro último día en Galicia. Después, Ignacia y yo marcharemos en direcciones opuestas. Ella hacia al Norte, a Inglaterra, cruzando un mar interno, casi doméstico. Yo hacia el Sur, a la Argentina, otra vez sobre el abismo que los navegantes antiguos llamaban "la Mar Océana". Estamos en las escalinatas de la *Quintana dos Mortos*, al costado de la Catedral. Por allí se abre, hacia lo profundo del templo, la Puerta Santa o Puerta de los Perdones. Casi imperceptible para todos, salvo para los que desean perdonar y ser perdonados, después de su largo peregrinaje.

Nuestra despedida de la tierra fue un almuerzo de *polbo a feira* con vino tinto de jarra, en un mercadito popular de las afueras. No existe mejor comida para mí. Ignacia no opina lo mismo.

—Pasan los años y sigo sin acostumbrarme a la dieta de pescado y mariscos. O al clima. Casi morí del susto cuando vi por primera vez un pulpo en casa de tu tío Juan.

—Yo no entendía cómo los argentinos podían devorar tanta carne de vaca en el asado de los domingos.

Ignacia vive en Lewes, al este de Sussex, en la zona rural. Se parece a Galicia, por lo lluviosa y verde. Y por las afinidades culinarias. No muy lejos de su casa de campo está la iglesia de Lullington, la más pequeña de Inglaterra, digna de una torta de bodas o de comunión. Dicen que es el resto de una iglesia mucho más grande, destruida por el fuego y por las tropas de Oliver Cromwell en el siglo XVII.

En todas partes, por aquellos campos pacíficos de tarjeta postal, hay huellas de batallas. Las de la Edad Media, donde combatían guerreros con cruces sobre la armadura y cascos similares al Hombre de Hojalata del Mago de Oz. Las del siglo XX, marcadas por tumbas, pilares, inscripciones, cientos de nombres todavía frescos que alguna vez, para los nuevos ojos, serán tan remotos y poco descifrables como las escrituras medievales en las losas de los camposantos.

—¿Cuándo vas a venir a vernos?

—No ahora. Miguel anda muy delicado de salud. Ya sabés que este viaje lo hice únicamente porque se lo prometí a Celia. Y porque sos vos la que no viene nunca.

Me corre un escalofrío cuando pienso que si voy a Sussex será porque ya no tendré a Miguel conmigo. Los Inchauspe entraron, después de todo, en nuestra familia, aunque no con Fernando, el pretendiente de Celia, sino con Miguelito, que nos defendía de las burlas a Ignacia y a mí durante los años de escuela.

Si Ignacia viaja a la Argentina será porque ella también se habrá quedado sola.

Sin embargo, no estaríamos solas, sino juntas. Aunque ya no seremos la Hormiga Negra y la Hormiga Colorada. Nuestras cabezas se volvieron del mismo color, blancas las dos.

—¿Ya terminaste tu libro?

—¿El de los Efímeros? Estoy en eso. Es que lleva ilustraciones a mano, además de fotos. Un capricho, en los tiempos digitales. Pero quiero que sea algo especial. Y espero a Hannah. No me gustaría que mi libro salga primero que el suyo sobre los *Anopheles*. Es casi una enciclopedia, y la ayudo con eso. Antes de que... Antes de que empeore.

Hannah es la pareja de Ignacia. El amor de su vida. Se conocieron en un simposio, en Londres. Ignacia y yo todavía trabajábamos juntas en nuestra veterinaria. Pero yo tenía el ojo más puesto en los ganados y las mieses y ella, en las cátedras y la investigación. Después de aquel viaje a Londres, Ignacia vino solo para despedirse y poner en orden sus asuntos. Liquidamos nuestra sociedad, no nuestra amistad. Volvió de visita, año tras año, siempre bienvenida. Lo que no logró fue llevarse a su madre. Isidra quiso quedarse con Braulio y Trinidad en la casa del almacén. Y cuando los dos murieron, se mudó con Miguel y conmigo. Vivió hasta casi centenaria porque el sol de la pampa —decía— le calentaba los huesos.

—Al final, mamá tuvo razón.

—Claro que sí. Y Miguel y yo, mucha suerte. A nuestros hijos no les faltó abuela en casa. Ni a nuestros nietos bisabuela. Algunos hasta aprendieron a tejer.

Ignacia y Hannah vivieron en el África varios años. Se especializaron en insectos. Hannah, en los mosquitos *Anopheles* que transmiten el paludismo. Enseñaron en universidades y publicaron *papers* en las mejores revistas. También terminaron de criar al único hijo de Hannah. Ya jubiladas, se instalaron en la campiña de Sussex. Entonces, como quien empieza un juego, Ignacia se abocó a la especie de los Efímeros.

—Casi nadie los estudia. No transmiten ninguna enfermedad, no producen dinero para las empresas farmacéuticas. Solo viven un rato. Siempre menos de un día. Se reproducen y mueren inmediatamente. Un minuto de gloria sobre la tierra. Pero son interesantes y misteriosos. Las ninfas viven cubiertas por un caparazón parecido al de algunos moluscos. Hasta que salen y abren las alas, ya sin miedo, listas para el vuelo nupcial.

No me fue difícil comprender por qué Ignacia los eligió. Ella también había vivido enmascarada. Oculta desde la niñez por el caparazón del silencio. Cubriéndose en la fuga. Temerosa de ser herida. Velando la naturaleza de sus deseos.

—Hacen lo que deben. Aprovechan su minuto. A su manera, son fieles a la memoria. Inmortales en el cosmos, para la especie. Generación tras generación, abren las alas, vuelan y desovan otra vez en la corriente del río.

Sentadas en la *Quintana dos Mortos* pensamos en los que se quedaron en casa, con un pie en el estribo: Miguel, Hannah. Les han puesto rótulos, diagnósticos. La cardiopatía severa, la metástasis, acabarán con ellos. Tienen los días contados.

Nosotras también. Quién no, a nuestra edad. O siempre. Qué criatura mortal evita el plazo.

Antes de bajar por las escalinatas, Ignacia abre inesperadamente su cartera. Algo mínimo, leve, destellante, familiar, se escapa de ella, queda suspendido en el aire unos segundos, flotante bajo la luz del atardecer con un eco de música y un olor de canela. Cuando quiero atraparlo, definirlo, volverlo a mirar, titila y desaparece.

—Es una Sinigual —me susurra Ignacia, o creo que eso hace—. Vivía en el costurero que fue de tu madre. Te siguió a Buenos Aires. Me acompañó a Inglaterra.

Pero ahora saca un pañuelito descartable, como si no hubiera dicho absolutamente nada, y se suena la nariz. La visión se borra en mi retina. ¿Fue el ala ligera de un espejismo, aunque estuvo allí? Busco una huella de canela en las nervaduras del aire. Olfateo como un perro perdiguero. Ignacia me ofrece otro pañuelito.

—Son las alergias del cambio de estación. Y las despedidas —comenta con naturalidad, mientras nos levantamos.

Desde el avión, como cada vez que regreso de Galicia, miro el lomo del agua bondadosa y malvada, que une y separa, que abre y cierra y que no es posible capturar, porque la Ballena-Océano incluye a su perseguidor. La he visto desde la costa o desde el aire, en los movimientos complementarios de llegar y de partir, desde el Cabo-De-Ninguna-Parte, flotando en la boya de las alturas, donde, como en la pampa, todas las direcciones son iguales, y en cualquier momento el viajero puede despeñarse hacia la deriva de las galaxias.

¿Será la última vez? ¿Por fin aquí se detendrá el vaivén? Como un rompecabezas que se arma de golpe, cuando ya se han perdido las esperanzas de comprender, lo entiendo.

Yo soy el vaivén.

Cuando me voy, nada dejo, porque todo viaja conmigo. Soy la casa sin anclas, soy mi propia barca que cruza los abismos llevando la memoria de todas las orillas.

Migramos para sobrevivir. Como las libélulas pantala o las mariposas monarca. De la India al África. Desde el Canadá hasta México. De un Finisterre al otro, como las Siniguales en su dorna, que es una miniatura de las naves vikingas.

149

Cuanto venía a hacer, en parte ya está hecho.

El cuaderno de Celia, las notas de su primera juventud y también las páginas de su madurez, en el peor momento de su vida, están enterrados bajo el *cruceiro*, en el camino de la *Casa das Ánimas*. Allí donde tantos depositaron flores, papeles, relicarios, mensajes que serían leídos por ojos invisibles.

¿Manuel los leerá? ¿Serán las letras de Celia una piedra de toque, la señal pactada para encontrarse con su hijo sin tumba, más allá de la vida?

Resistieron, tuvieron que seguir hasta el final. Aun sin Manuel, Gustavo y Celia cumplieron su tiempo, dieron su medida, hicieron lo que debían. Y luego se hundieron, como los Efímeros en el agua fluyente.

Cerraré este cuaderno y abriré otro. No será un relato de viaje sino el "Libro de las Siniguales": los seres que intento conocer desde hace más de setenta años, cuando los encontré o me encontraron en Fisterra. Un libro que sería de ciencia, como los de Hannah o Ignacia, si no tuviese que usar instrumentos ajenos a mi oficio: la adivinación y la poesía.

Celia, de algún modo, me ayudará en la empresa.

Aquí termina este libro
escrito, ilustrado, diseñado, editado, impreso
por personas que aman los libros.
Aquí termina este libro que has leído,

el libro que ya sos.